19th century
died 1880
1877-this book published
Education Sentimentale
Mme Bovary

1.00

TROIS CONTES

GUSTAVE FLAUBERT

TROIS CONTES

UN CŒUR SIMPLE

LA LÉGENDE DE SAINT JULIEN L'HOSPITALIER

HÉRODIAS

Chronologie et préface
par
Jacques Suffel

GARNIER-FLAMMARION

CHRONOLOGIE

1821 : Naissance, à Rouen, le 12 décembre, de Gustave Flaubert, fils du chirurgien Achille-Cléophas Flaubert, d'origine champenoise, et de Justine-Caroline Fleuriot, issue d'une famille de médecins et d'armateurs normands. Son enfance se passe à l'Hôtel-Dieu, hôpital que dirige son père. Il a un frère aîné, Achille, né en 1813, qui sera chirurgien comme le père, et une sœur cadette, Caroline, née en 1824.

1832 : En février, Gustave entre au collège Royal (lycée de Rouen) où il fera ses études, d'abord comme interne, puis, à partir de 1838, comme externe. Il se passionne pour la littérature et commence, dès 1835, à composer des récits; il rédige un journal littéraire : *Art et progrès*.

1836 : A Trouville, pendant les vacances d'été, il rencontre la femme de l'éditeur de musique Maurice Schlésinger (Élisa Foucault) et une passion sans espoir le bouleverse.

1837-1839 : Il compose un drame, *Loys XI*, et de nombreuses nouvelles : *Rêve d'enfer, Passion et vertu* (qui s'apparente, par certains épisodes, à *Madame Bovary*), *Mémoires d'un fou* (première esquisse de *l'Éducation sentimentale*), *Smahr* (première esquisse de *la Tentation de saint Antoine*). Il collabore au *Colibri*, petit journal rouennais. Avec ses camarades de collège, il imagine *le Garçon*, prototype de Homais.

1840 : Reçu bachelier, le 23 août, il entreprend, quelques jours plus tard, un voyage aux Pyrénées et en Corse avec un ami de son père, le docteur Jules Cloquet. — A Marseille, aventure avec Eulalie Foucaud de Langlade.

1841 : Le 10 novembre, Gustave Flaubert s'inscrit à la faculté de Droit de Paris.

1842 : Par tirage au sort, il est exempté du service militaire. Il compose *Novembre*, tout en préparant son droit. — Le 28 décembre, il est reçu à l'examen de première année. — A Paris, il fréquente les familles Pradier et Collier, et réussit à se lier intimement avec le ménage Schlésinger.

1843 : Il commence *l'Éducation sentimentale* (première version) et se lie d'amitié avec Maxime Du Camp (né en 1822, fils comme Flaubert d'un chirurgien). — Mai : mise en service de la ligne de chemin de fer Paris-Rouen. — 21 août : Flaubert échoue à l'examen de deuxième année à la faculté de Droit.

1844 : Janvier. Au cours d'un voyage à Pont-l'Évêque, Flaubert tombe, comme frappé d'apoplexie, dans le cabriolet qu'il conduisait. Un régime sévère lui est imposé, il renonce à poursuivre ses études de droit. — Au printemps, le docteur Flaubert achète la maison de Croisset, où Gustave passera sa vie.

1845 : 3 mars. Mariage de Caroline Flaubert avec Émile Hamard ; le voyage de noces en Italie s'effectue de compagnie avec la famille Flaubert. A Gênes, Gustave remarque un tableau de Breughel, représentant *saint Antoine*.

1846 : 15 janvier. Mort du docteur Flaubert. Son fils Achille lui succède à l'Hôtel-Dieu. — 23 mars : Caroline Hamard meurt d'une fièvre puerpérale quelques semaines après avoir accouché d'une fille, Désirée Caroline. — Avril : Gustave Flaubert s'installe à Croisset avec sa mère et la petite Caroline, sa nièce. — Mai : il compose une comédie en vers, en collaboration avec Louis Bouilhet et Maxime Du Camp. — 29 juillet : à Paris, liaison de Flaubert avec Louise Colet, rencontrée chez Pradier. — 4 août : première lettre à la « Muse » (Louise Colet). La correspondance se poursuivra jusqu'en 1855. — 9-10 septembre : premier rendez-vous de Flaubert et Louise Colet à Mantes, à l'hôtel du Grand-Cerf.

1847 : Mai-juillet. Flaubert et Du Camp entreprennent un voyage en Touraine et en Bretagne (relaté dans *Par les champs et par les grèves*, œuvre que les deux auteurs renoncèrent à publier).

1848 : Le 24 février, Flaubert et Bouilhet séjournent à Paris ; la révolution éclate sous leurs yeux. — Mars :

première rupture de Flaubert avec Louise Colet. —
3 avril : mort d'Alfred Le Poittevin, ami d'enfance de
Flaubert. — 24 mai : Flaubert commence *la Tentation de
saint Antoine* (première version). — Juin : Du Camp,
garde national, est blessé pendant les jours d'émeute; il
sera décoré en fin d'année.

1849 : Avril. Flaubert et Du Camp décident d'entreprendre ensemble un voyage au Moyen-Orient. — Auparavant Flaubert veut achever *la Tentation de saint
Antoine*, qui est terminée le 12 septembre. L'œuvre est
lue à Bouilhet et à Du Camp qui la déclarent manquée.
— Le 4 novembre, Flaubert et Du Camp s'embarquent
à Marseille; arrivée à Alexandrie, le 15. Le 28, ils sont
au Caire.

1850 : 6 février. Départ du Caire, à bord d'une cange qui
remonte le cours du Nil, à travers la haute Égypte. Le
6 mars, visite à la courtisane Kutchiuk-Hânem. — En
juillet, retour à Alexandrie et embarquement à destina-
tion de Beyrouth. — Août-septembre : Jérusalem,
Nazareth, Damas, Baalbek, Tripoli. — Octobre :
Rhodes, Smyrne. — Arrivée à Constantinople le 13 novembre; séjour d'un mois. — 18 décembre : Athènes.

1851 : Janvier. Séjour en Grèce (Parthénon, Thermopyles,
Péloponnèse). — Le 10 février, embarquement pour
Brindisi. — Mars-mai : Naples, Rome, Florence, Venise.
— Juin : Flaubert est rentré à Croisset. — Juillet : il
renoue avec Louise Colet. — 19 septembre : il commence
Madame Bovary. — Le 2 décembre, il est à Paris et
assiste au coup d'État.

1852 : Il travaille à « *la Bovary* » et rencontre Louise Colet
tous les trois mois à Paris ou à Mantes. — En juin, il
se querelle avec Du Camp, qui est devenu depuis quelques
mois codirecteur de la *Revue de Paris* et amant de
Valentine Delessert. Refroidissement des relations entre
les deux amis.

1853 : Rédaction de *Madame Bovary* (2ᵉ partie), rencontres
trimestrielles avec Louise Colet. Flaubert entre en correspondance avec V. Hugo. — En novembre, Flaubert
écrit à Schlésinger qui, ruiné, s'est retiré à Bade avec les
siens.

1854 : Rédaction de *Madame Bovary* (2ᵉ partie). Flaubert se lie avec l'actrice Béatrix Person. — Octobre : rupture avec Louise Colet.

1855 : Rédaction de *Madame Bovary* (2e et 3e parties). — 6 mars : dernière lettre à Louise Colet.

1856 : Achèvement de *Madame Bovary*. — Avril : Du Camp achète le roman 2 000 F. pour la *Revue de Paris*. — Mai : Flaubert fait des corrections et des coupures et expédie, le 31, la copie ainsi retouchée. — 14 juillet : Du Camp propose de supprimer les « longueurs » de *Madame Bovary*, Flaubert refuse. — 1er octobre : la *Revue de Paris* commence à publier *Madame Bovary;* cette publication s'échelonne dans six numéros. Certains passages scabreux ayant été coupés, Flaubert, qui s'est installé à Paris, 42, boulevard du Temple, fait insérer une protestation dans le fascicule du 15 décembre. — Le 24 décembre, il cède *Madame Bovary* à l'éditeur Michel Lévy, pour cinq années, moyennant 800 F. (Il recevra en outre une « prime » de 500 F.)

1857 : Janvier. Flaubert est convoqué chez le juge d'instruction. Démarches pour essayer d'arrêter les poursuites. Le procès de *Madame Bovary* est plaidé le 29, devant la 6e chambre du Tribunal correctionnel à Paris. — 7 février : acquittement. — Mars : après quelques hésitations, Flaubert renonce à publier *la Tentation de saint Antoine* et annonce à ses amis que son prochain roman aura pour sujet *Carthage*. — Avril : *Madame Bovary* paraît chez Michel Lévy (2 vol. in-12, à 1 F.). Grand succès. — Septembre-décembre : Flaubert rédige le premier chapitre de *Salammbô* (titre définitif de *Carthage*).

1858 : Janvier-mars. A Paris, Flaubert fréquente les gens de lettres : Sainte-Beuve, Gautier, Ernest Feydeau; est reçu chez les « lionnes » : Jeanne de Tourbey, Aglaé Sabatier (la Présidente), Arnould-Plessy, Esther Guimont. — Ayant reconnu la nécessité de visiter les ruines de Carthage, il s'embarque à Marseille, le 16 avril, et séjourne en Tunisie jusqu'à la fin de mai. Il est de retour à Croisset le 12 juin. — Juillet-décembre : rédaction de *Salammbô* (chap. II et III).

1859 : Rédaction de *Salammbô* (chap. IV-VII). — Au cours de l'été, Flaubert tombe malade, période de dépression jusqu'en novembre. — Il passe l'hiver à Paris.

1860 : Rédaction de *Salammbô* (chap. vii-x). Flaubert passe l'hiver à Croisset; ses relations avec Du Camp sont redevenues bonnes.

1861 : Rédaction de *Salammbô* (chap. x-xiv). Flaubert, qui « s'oursifie » de plus en plus, ne séjourne à Paris qu'en mai. En juin, il fait le serment de ne plus quitter Croisset avant d'avoir achevé son roman.

1862 : Janvier. Maladie de Mme Schlésinger, internée en Allemagne. — 15 février : Flaubert part pour Paris, où il met la dernière main à *Salammbô*. — Mai : avant de regagner Croisset, il charge Ernest Duplan de négocier avec Michel Lévy la publication du roman. — Juillet : il confie son manuscrit à Du Camp. — 9 août : il se rend à Vichy, avec sa mère et sa nièce; séjour d'un mois. — 11 septembre : signature à Paris du nouveau traité avec Michel Lévy; *Salammbô* et *Madame Bovary* sont cédées pour dix ans, moyennant 10 000 F. — 24 novembre : publication de *Salammbô* (1 vol., in-8°, daté de 1863). — 23 décembre : Flaubert rédige sa réponse aux critiques de Sainte-Beuve.

1863 : Janvier. Période mondaine. Le 21, Flaubert dîne chez la princesse Mathilde. — Le 24, il publie sa réponse à Frœhner; à la même époque commence sa correspondance avec George Sand. — 23 février : il participe au dîner Magny, récemment créé. — Juin-juillet : saison à Vichy. — Août : il travaille à une féerie, *le Château des cœurs*, en collaboration avec Bouilhet et d'Osmoy. — Novembre : il s'installe à Paris pour l'hiver.

1864 : Janvier. Fiançailles de sa nièce Caroline avec Ernest-Octave-Philippe, dit Commanville (né en 1834); le mariage a lieu le 6 avril — Mai : Flaubert établit le plan de *l'Éducation sentimentale*, et commence la rédaction en septembre, — 12-16 novembre : il est invité à Compiègne, chez l'Empereur.

1865 : Rédaction de *l'Éducation sentimentale* (1re partie). — Janvier-mai : séjour à Paris. — Juillet : Flaubert rejoint Du Camp à Bade, il rencontre peut-être Élisa Schlésinger.

1866 : Rédaction de *l'Éducation sentimentale* (2e partie). — Janvier-mai : séjour à Paris. — Juillet : voyage à

Londres. — Août : à Saint-Gratien, chez la princesse
Mathilde ; le 15, Flaubert est nommé chevalier de la
Légion d'honneur. — En août et en novembre, visites
de G. Sand à Croisset.

1867 : Rédaction de *l'Éducation sentimentale* (2e partie). —
Février-mai : séjour à Paris. — En mars, Flaubert
rencontre Élisa Schlésinger. — En juin, il assiste au
bal des Tuileries.

1868 : Rédaction de *l'Éducation sentimentale* (3e partie). —
Février-mai : séjour à Paris. Flaubert néglige un peu
les dîners chez Magny, mais reste assidu chez la princesse Mathilde. — 30 juillet-6 août : à Saint-Gratien.
De retour à Croisset vers le 10 août, il travaille dans la
solitude jusqu'au printemps.

1869 : A la fin de mars, *l'Éducation sentimentale* étant
presque terminée, Flaubert part pour Paris. — En mai,
il loue un appartement au 4, rue Murillo et s'apprête à
quitter le boulevard du Temple. — Le 16, il annonce
que *l'Éducation* est finie. — Du Camp lit et annote
l'Éducation. — Juin : de retour à Croisset, Flaubert
remanie *la Tentation de saint Antoine.* — 18 juillet :
mort de Louis Bouilhet. — *L'Éducation* paraît le 17 novembre (2 vol. in-8º, datés de 1870). Mauvaise presse. —
22 décembre : Flaubert se rend à Nohant chez George
Sand.

1870 : Janvier-avril. A Paris, Flaubert est mal portant. —
Mai : à Croisset, il prépare une notice sur Bouilhet. —
En juillet, il remanie une comédie de Bouilhet, *le Sexe
faible ;* la guerre interrompt ce travail. — Septembre :
Flaubert est infirmier à Rouen, puis lieutenant dans la
Garde nationale. — Novembre : les Prussiens sont à
Croisset.

1871 : 28 janvier. Armistice. Flaubert retire son ruban de
la Légion d'honneur. — Mars : il se rend à Bruxelles
avec Dumas fils, pour apporter à la princesse Mathilde
un témoignage de fidélité. — Avril : il se réinstalle à
Croisset. — Mai : mort de Maurice Schlésinger. — Juin :
il visite Paris, après les destructions de la Commune.
— Août : à Saint-Gratien, chez la princesse Mathilde,
qui est rentrée d'exil. — Novembre : Mme Schlésinger
fait une visite à Croisset. Flaubert remanie une fois de

plus *la Tentation de saint Antoine*. Il voit souvent Léonie Brainne, jeune veuve dont il est très épris.

1872 : 17 janvier. Flaubert adresse une *Lettre au Conseil municipal de Rouen*, concernant le projet d'un monument Bouilhet. — Février : Michel Lévy édite *Dernières chansons*, de Louis Bouilhet (préface de Flaubert); cette publication est à l'origine de la brouille entre Flaubert et Lévy. — 6 avril : mort de la mère de Flaubert. L'écrivain achève *Saint Antoine* au cours de l'été.

1873 : Janvier. Flaubert séjourne à Paris jusqu'au printemps. — En mai, il signe un traité avec Lemerre, pour l'édition elzévirienne de *Madame Bovary*. — 20 juin : accord avec Charpentier, pour les nouvelles éditions de *Madame Bovary* et de *Salammbô*. — Septembre : Flaubert compose sa comédie *le Candidat*. — Décembre : il cède à Charpentier *la Tentation de saint Antoine*.

1874 : 11 mars. Création du *Candidat* au théâtre du Vaudeville. L'auteur retire sa pièce à la 4e représentation. — Avril : publication de *la Tentation de saint Antoine* (1 vol. in-8°). — Juin : à Croisset, Flaubert prépare son dernier ouvrage, *Bouvard et Pécuchet*. Juillet : séjour en Suisse; Flaubert rêve d'un grand roman sur le second Empire.

1875 : Janvier-mai. A Paris, l'écrivain travaille dans l'inquiétude, la situation de son neveu Commanville devenant alarmante; il liquide son appartement de la rue Murillo et s'installe 240, faubourg Saint-Honoré, dans la même maison que les Commanville. — 9 mai : il rentre à Croisset plein d'angoisse; le déficit de Commanville dépasse le million. Pour empêcher la faillite, Flaubert vend sa ferme de Deauville (200 000 F.), et annonce sa ruine à ses amis. — Septembre : séjournant à Concarneau, chez son ami Pouchet, il commence *la Légende de saint Julien l'hospitalier*.

1876 : Janvier-mars. A Paris, il achève *Saint Julien* et commence *Un cœur simple*. — 8 mars : mort de Louise Colet. — 10 juin : il assiste à Nohant aux obsèques de George Sand et regagne Croisset après une absence de neuf mois. — Il achève *Un cœur simple* en août et commence *Hérodias* en novembre.

1877 : Février. A Paris, il prépare la publication des *Trois contes*, qui paraissent chez Charpentier en avril (1 vol. in-18 jésus). — En juin, Flaubert est à Croisset et travaille à *Bouvard*. Il songe à un livre sur *la Bataille des Thermopyles*.

1878 : Janvier-mai. A Paris. — Juin : retour à Croisset. Flaubert travaille avec régularité, mais il est sans argent, sa santé est délabrée.

1879 : Le 25 janvier, il se fracture le péroné et doit s'aliter près de trois mois. N'ayant pas obtenu le poste de conservateur de la Bibliothèque Mazarine, il se voit du moins accorder, en mai, un poste subalterne (hors cadre) à partir du 1er juillet (3 000 F. par an). En septembre il séjourne à Saint-Gratien pour la dernière fois et, le 22, rentre à Croisset qu'il ne quittera plus. — Octobre : *Salammbô* paraît chez Lemerre dans la collection elzévirienne. — Novembre : *l'Éducation sentimentale* paraît chez Charpentier.

1880 : Janvier. Flaubert commence le chapitre x et dernier de *Bouvard et Pécuchet*. — Février : il reçoit les épreuves de *Boule-de-Suif*, conte de son disciple Maupassant. Ce dernier est poursuivi pour un poème licencieux, Flaubert lui adresse une lettre publique. Le 26, Maxime Du Camp est élu à l'Académie française. — Avril : Flaubert reçoit le livre de Maupassant, *Des vers*, qui lui est dédié. — Au printemps, Flaubert se prépare à partir pour Paris; le 8 mai, il est terrassé par une hémorragie cérébrale, et meurt en quelques heures. — Inhumation, le 11, à Rouen. — Le 15 décembre, la *Nouvelle Revue* commence la publication de *Bouvard et Pécuchet*.

PRÉFACE

1877 – 3 contes published

Les *Trois contes* sont les derniers chefs-d'œuvre de Gustave Flaubert. Il avait cinquante-quatre ans lorsqu'il *conçut*, en 1876, l'idée de ce volume. Ses grands romans étaient publiés. *published*

Sans doute avait-il sur le chantier la « vieille toquade » de sa jeunesse, l'histoire des deux bonshommes, *Bouvard et Pécuchet*, qu'il rédigeait sans joie et sans conviction, et qu'il devait finalement laisser inachevée. Et il conservait encore dans ses tiroirs des projets de romans qui le faisaient rêver : *Monsieur le Préfet, Harel-bey, la Bataille des Thermopyles...* Mais depuis quelques années il s'assombrissait.

La mort de ses amis, Louis Bouilhet, Sainte-Beuve, Théophile Gautier, Ernest Feydeau; la mort de sa mère, survenue en 1872 tous ces deuils, s'ajoutant au deuil national de la guerre perdue et à la tragédie de la Commune, l'avaient accablé. Il avait vieilli brusquement et, dans la grande maison de Croisset, la solitude s'appesantissait de plus en plus sur lui.

Par surcroît, un événement inattendu avait à cette époque bouleversé sa vie : la déconfiture d'Ernest Commanville, mari de sa nièce Caroline, fut pour l'écrivain un coup foudroyant. Afin d'éviter l'humiliation d'une faillite qui aurait terni, pensait-il, l'honorabilité de sa famille, Flaubert s'était résigné à vendre sa ferme de Deauville, dont le revenu annuel — environ six mille francs — assurait sa subsistance. Les deux cent mille francs procurés par cette vente permirent d'amortir le passif de Commanville et d'obtenir une liquidation judiciaire. Mais dès lors l'écrivain, ruiné, traîna ses dernières années dans de sordides embarras d'argent dont la mort seule le délivra.

Au mois de septembre 1875, ayant signé l'acte qui le dépouillait, il partit pour Concarneau où l'avait invité son

ami Georges Pouchet, directeur du Laboratoire de Zoologie
marine. Au bord de l'Océan, s'il retrouva un peu de séré-
nité, il s'ennuya vite, comme de coutume en villégiature.
Pouchet essayait de le distraire en lui montrant les curiosités
de la mer; cela ne suffisait point à remplir les journées. La
littérature seule pouvait arracher Flaubert à son spleen.
Ayant renoncé, au moins provisoirement, à poursuivre
les aventures de Bouvard et de Pécuchet, l'idée lui vint
d'entreprendre une œuvre de dimension réduite. Ce fut *la
Légende de saint Julien l'Hospitalier.*

L'année précédente, au cours d'un séjour en Suisse où,
selon la règle, il s'était fort ennuyé, il avait pris des notes
en vue de ce travail. Le carnet intime nº 17, conservé à la
Bibliothèque historique de la Ville de Paris, fait mention
d'ouvrages qu'il utilisa pour se documenter. Au reste, ses
souvenirs sur ce sujet remontaient loin.

Il y avait, dans la cathédrale de Rouen, une verrière
fameuse, relatant la légende, qui était aussi évoquée dans
l'église de Caudebec-en-Caux. Maxime Du Camp affirme
que Flaubert parlait déjà de saint Julien à une époque qu'on
peut situer vers 1845, et il y est de nouveau fait allusion, en
1856, dans une lettre du romancier.

A Concarneau, le 2 octobre 1875, il écrit à son ami
Laporte : *Je crois vous avoir parlé de saint Julien l'Hospitalier. C'est cette histoire-là que je me propose de coucher par
écrit. Ce n'est rien du tout, et je n'y attache aucune importance.* Néanmoins, il se prit d'intérêt pour son conte.
Lorsqu'il regagna, quelques semaines plus tard, son domi-
cile de Paris, 240, faubourg Saint-Honoré, il continua d'y
travailler avec acharnement. La création littéraire le
délivrait de ses soucis matériels.

Le texte, qui ne compta pas plus de 27 feuillets in-folio
dans le manuscrit définitif, mais qui avait nécessité de
multiples ébauches, fut achevé vers le 15 février 1876.

Déjà l'auteur songeait à une autre nouvelle, « de manière
à avoir un petit volume à publier » à l'automne. Au mois
de mars, il commence *Un cœur simple.*

Ce deuxième conte lui demanda environ six mois de
travail, c'est-à-dire, à peu de chose près, un temps égal à
celui qu'avait exigé saint Julien.

Avant de les peindre, il voulut revoir les lieux où il
situait son récit : Pont-l'Évêque, Trouville, Honfleur.
Cette excursion l'abreuva de tristesse : *J'ai pris un bain*

de souvenirs, dit-il, *suis-je vieux, mon Dieu! suis-je vieux!* Sa santé se détraquait, il souffrait d'un zona et de nouveaux deuils (Louise Colet meurt en mars, George Sand en juin) accentuaient sa mélancolie.

Aux beaux jours de l'été, il regagna Croisset, après une absence de plus de huit mois. Pour composer les derniers chapitres du conte, il se fit prêter par le Muséum d'Histoire naturelle de Rouen un perroquet empaillé. Seul, dans son grand cabinet de travail, ayant sur sa table le simulacre d'un *Loulou* inconnu, qui le regardait « avec ses yeux de verre », cherchant toujours âprement le mot vrai, la phrase simple et colorée, hurlant « comme un gorille » dans la maison silencieuse, sabrant de main de maître toutes les fioritures, il réussit à faire d'une vieille servante et d'un perroquet le symbole de l'amour et de la tendresse humaine.

Il se sentit « remâté », prétendit se porter « comme un charme ». Dès le mois d'avril, il avait annoncé à ses intimes son intention d'écrire un troisième conte. Le 17 août, ayant terminé *Un cœur simple* et mis au net le manuscrit, qui compte 30 feuillets, il se plongea sans désemparer, avec une ardeur fébrile, dans la préparation de l'histoire d'Hérodiade et de saint Jean-Baptiste. *Hérodias se présente*, écrit-il à sa nièce, *et je VOIS (nettement, comme je VOIS la Seine) la surface de la mer Morte scintiller au soleil. Hérode et sa femme sont sur un balcon d'où l'on découvre les tuiles dorées du temple.*

Comme celle de saint Julien, la légende d'Hérodiade figure dans la cathédrale de Rouen. On aperçoit, sur le tympan d'un portail, Salomé dansant devant Hérode, appuyée sur les mains, « les talons en l'air », dans une posture acrobatique, tandis que, non loin, le bourreau brandit son glaive pour trancher la tête du Baptiste.

Flaubert semble avoir peiné plus durement sur *Hérodias* que sur les deux premiers contes. L'archéologie lui coûta beaucoup de soins, des lectures fatigantes à la Bibliothèque nationale, des vérifications multiples. Malgré cela, il avançait avec une rapidité qu'il ne comprenait pas lui-même, dormant peu, buvant beaucoup de café, fumant : *Bref, j'étais en proie à une effrayante exaltation*... A la fin de janvier 1877, le dernier conte était fini, il comprenait 28 feuillets [1].

1. Le manuscrit complet des *Trois contes* est conservé à la Bibliothèque nationale, Département des Manuscrits (Nouvelles Acquisi-

D'habitude, il s'installait à Paris dès novembre ou décembre, car il redoutait les hivers de Croisset, la neige, le verglas, une solitude de grand cimetière blanc. Cette année-là, contraint par le manque d'argent, il ne put partir qu'en février.

Par bonheur, les *Trois contes* lui procurèrent des gains qui lui assuraient la tranquillité pendant quelques mois. *On me paie très cher*, avoua-t-il à son amie madame Roger des Genettes, en lui annonçant la parution prochaine de son livre, *si je pouvais tous les ans en faire un semblable, je me trouverais fort à l'aise*.

L'édition fut préparée par Georges Charpentier; en mars, l'écrivain corrigeait ses épreuves. Entre-temps une publication préalable dans les journaux avait été négociée : *le Moniteur* fit paraître *Un cœur simple* (12-19 avril 1877), et *Hérodias* (21-27 avril), tandis que *le Bien public* insérait *la Légende de saint Julien* (19-22 avril). Chacune de ces publications fut payée mille francs. En outre, grâce à l'intermédiaire de Tourguénieff, qui fit la traduction, la revue russe, *le Messager d'Europe*, acquit deux contes pour six cents roubles (soit environ mille huit cents francs).

L'ouvrage fut mis en librairie le 24 avril : un volume du format in-18 jésus, de 248 pages, vendu 3 F 50. L'auteur perçut un droit de 0 F 60 par exemplaire. La couverture jaune portait en sous-titre les titres respectifs de chacun des trois récits. Il y eut cent exemplaires tirés sur papier de Hollande et douze sur Chine.

Un cœur simple, placé en tête, est une peinture du pays normand. Envahi par la nostalgie du passé, Flaubert s'est plu à rassembler là des souvenirs d'autrefois, à peindre des figures familières.

Pont-l'Évêque, où demeure madame Aubain, est la ville natale de la mère du romancier, Justine-Caroline Fleuriot, fille et femme de médecins, issue d'une famille de

tions françaises, 23663). C'est un fort volume in-folio de 758 feuillets, réunissant les copies autographes définitives, la copie destinée à l'imprimeur, exécutée par un scribe, et toutes les ébauches, environ 500 feuillets très raturés, écrits recto et verso. Il existe une autre copie autographe des *Trois contes*, magnifiquement reliée en maroquin rouge, que Flaubert offrit à son ami Edmond Laporte.

bonne bourgeoisie normande, qui comptait des magistrats
et des ecclésiastiques, les Cambremer de Croixmare, alliés
aux Fouet de Crémanville et aux Danycan d'Anebaut,
armateurs malouins. Un Fouet de Crémanville, qui fut,
sous l'ancien régime, conseiller auditeur à la Cour des
comptes de Rouen, vécut à Pont-l'Évêque pendant la Révolution. Sa sœur, Marie-Anne-Rose Fouet, dame Thierry,
était la mère d'une certaine madame Allais, qui fut la
tante de madame Flaubert et le prototype de madame Aubain. Dans *Un cœur simple*, il est question d'un marquis
de Gremanville, oncle de madame Aubain, qui avait été
« ruiné par la crapule », et il a été prouvé que plus d'un
personnage épisodique (Bourais, Varin, Mathieu, etc.) porte
le nom d'un ancien Pont-l'Évêquois.

La ferme de Geffosses, d'un revenu d'environ quatre
mille livres, appartint à madame Flaubert, qui l'avait
apportée en dot. La ferme de Toucques fit également partie
de son patrimoine. L'écrivain n'a pas changé les noms.

A Trouville, qui n'était alors qu'un village de pêcheurs,
peu fréquenté par les touristes, le père de Flaubert avait
acquis des biens et il emmenait chaque été ses enfants
prendre des bains de mer. C'est là que le jeune Gustave
rencontra pour la première fois le grand amour de sa vie,
l'énigmatique Élisa Foucault. C'est là qu'il connut Ger-
trude et Henriette Collier, filles d'un attaché naval de
l'ambassade d'Angleterre. On sait qu'un tendre sentiment
unit quelque temps Gustave à Henriette et qu'il entretint
avec les deux sœurs des relations épistolaires. Le commandant Collier s'installait avec les siens pendant les vacances
à l'auberge de *l'Agneau d'or*, que tenait la mère David.

Les paysages de Trouville, les rives de la Toucques,
la grève qui s'étend à perte de vue, les dunes et le Marais,
« large prairie en forme d'hippodrome », les « Roches-
Noires » et les grands herbages de Deauville, les chemins,
les sentiers, tout ici, pour Flaubert, était peuplé de fantômes. La terre qu'il venait de vendre pour sauver sa
nièce, située sur l'emplacement de l'actuel champ de courses
de Deauville, faisait partie de cette région sobrement évoquée dans sa nouvelle.

Le couvent des Ursulines d'Honfleur, où Virginie Aubain
est mise en pension, s'identifie avec l'établissement où la
mère de Flaubert, qui était orpheline, passa son enfance.
Quant à la mort de Virginie et au « désespoir illimité »

de madame Aubain, l'auteur dut songer, en retraçant cette scène, à la mort prématurée de sa propre sœur Caroline. Enfin, on a tout lieu de croire que la servante Félicité doit beaucoup à la vieille Julie, qui servit Flaubert pendant un demi-siècle, et qui lui survécut.

La nièce de l'écrivain, Caroline Commanville, a confirmé que tous les faits, tous les détails de cette simple histoire ont été inspirés par des souvenirs familiaux : « Dans les dernières années, mon oncle avait un charme extrême à revivre sa jeunesse. Il a écrit *Un cœur simple* après la mort de sa mère. Peindre la ville où elle était née, le foyer où elle avait joué, ses cousins, compagnons de son enfance, c'était la retrouver, et cette douceur a contribué à faire sortir de sa plume ses plus touchantes pages, celles peut-être où il a laissé le plus deviner l'homme sous l'écrivain. Qu'on se rappelle seulement cette scène entre madame Aubain et sa servante quand elles rangent ensemble les menus objets ayant appartenu à Virginie. Un grand chapeau de paille noire que portait ma grand-mère éveillait en mon oncle une émotion semblable; il prenait au clou la relique, la considérait en silence, ses yeux s'humectaient et respectueusement il la replaçait. »

Les sources d'*Un cœur simple* ont été puisées dans une toute proche réalité; celles des deux autres récits sont presque entièrement documentaires. Le folklore et l'archéologie ont fourni les matériaux.

La Légende de saint Julien l'Hospitalier a typiquement le caractère d'un conte populaire. On a justement comparé la destinée de Julien, qui assassine involontairement ses parents, à celle d'Œdipe, meurtrier de son père et mari incestueux. Dans l'aventure du prince Agib, troisième calendar des *Mille et une Nuits*, dans *la Belle au bois dormant*, on remarque des traits analogues à l'histoire de l'hospitalier, victime de la fatalité. Et l'épisode de Julien, passeur de rivière, peut encore être apparenté à l'hagiographie de saint Christophe.

La plus ancienne relation de la vie de Julien est due, semble-t-il, au dominicain Vincent de Beauvais (mort vers 1264), qui l'inséra dans le *Speculum Historiale*. Jacques de Voragine (mort en 1298) reprit les faits dans la *Légende dorée* (XXVIII, IV), que Flaubert connaissait bien. On signale quelques versions ultérieures, plus ou moins développées, en vers ou en prose. Notre auteur se référa surtout au livre d'un Rouennais, Eustache-Hyacinthe Langlois, qui fut son maître de dessin. Intitulé *Essai historique sur la peinture sur verre*, ce volume, édité en 1832, contient une reproduction gravée du vitrail de la cathédrale de Rouen et une analyse de la légende. Parmi les ouvrages que l'auteur consulta, on relève encore les titres suivants dans son carnet de 1874 : *La Fauconnerie*, de Jean Franchières (1628); *La Chasse de Gaston Phoebus, comte de Foix*, par Joseph Lavallée (1854); *le Livre du roi Modus et de la reine Ratio*, édité par E. Blase (1839).

On pourrait débusquer d'autres réminiscences; mais à rechercher trop systématiquement les sources, on risque parfois de s'égarer. Dans le célèbre conte de Victor Hugo, *La Légende du beau Pécopin et de la belle Bauldour*, on trouve le récit d'une chasse fantastique comparable à celle de Julien. Flaubert ne l'ignorait pas et, en 1856, songeant à ce qui n'était encore qu'un projet, il avisait Bouilhet : *J'ai relu Pécopin, je n'ai aucune peur de la ressemblance*. La forme en effet crée l'originalité.

Après avoir passé en revue les différentes sources de la légende de saint Julien, le subtil Marcel Schwob a rappelé que, dans les récits du folklore français, italien ou catalan, le héros n'a pas de caractère personnel : c'est un homme soumis au destin et qui n'est point coupable. Julien, tel que l'a conçu Flaubert, « a la passion voluptueuse du sang ». Rappelant que l'art réussit à rendre neuves les fictions anciennes, Marcel Schwob écrit : *Parmi cette éblouissante fusion, nous voyons se dessiner les attitudes d'un Julien cruellement passionné, dont l'âme est tout près de la nôtre. C'est ainsi que les nobles poètes de l'âge d'Élisabeth créaient avec les ballades des pauvres gens de la campagne les héros que nous admirons dans leurs drames. Une des gloires de Flaubert sera d'avoir senti si vivement que la grande force de création vient de l'imagination obscure des peuples et que les chefs-d'œuvre naissent de la collaboration d'un génie avec une descendance d'anonymes.*

Aujourd'hui encore, observe Schwob, *nous avons peine à imaginer la miraculeuse transformation d'art et de style qui habilla de pourpre et d'or ces simples figures, qui suspendit à des parois de palais les sanglantes tapisseries de chasses et de batailles, qui fit d'un lépreux aux lèvres bleuâtres un saint aux yeux d'étoiles, dont les narines soufflaient l'odeur de la rose.*

Flaubert souhaita vainement que son éditeur reproduisît

le vitrail normand dans une édition séparée de son saint
Julien; il aurait voulu faire admirer la différence entre le
somptueux émail littéraire et la naïve conception des
anciens verriers.

On ignore ce qui l'incita à choisir la légende d'Hérodiade pour sujet de son troisième conte. La véracité de
cet épisode des évangiles, qu'évoque l'admirable bas-relief
de la cathédrale de Rouen, est des plus douteuses. L'histo-
rien juif Flavius Josèphe, qui relate d'une manière fort
détaillée la vie des Hérodes et leurs actes sanglants, ne fait
mention ni de Salomé ni de son funèbre plateau. Tous les
historiens de l'Antiquité sont muets sur cette anecdote. Au
XIXe siècle, l'Allemand Graetz a résumé comme suit, dans
son *Histoire des Juifs*, l'aventure de Jean-Baptiste : *Les héro-
diens étaient prévenus contre cet homme qu'entourait la
sympathie populaire, qui, par certains mots à effet, savait
remuer les masses et aurait pu mener loin. Hérode Antipas,
sur le territoire duquel Jean avait sa résidence, envoya, dit-on,
des gardes pour s'emparer de sa personne et le conduire en
prison. Le peu d'authenticité des sources qui rapportent ces
faits ne nous permet guère de savoir si sa captivité dura
longtemps et s'il vécut assez pour voir un de ses disciples
proclamé comme messie. Ce qui est certain, c'est que Jean
fut décapité par ordre d'Antipas. Le récit qui nous montre la
fille d'Hérodiade apportant à sa mère, sur un plat, la tête
sanglante du Baptiste, a un caractère purement légendaire.*
(Traduction Wogue, tome II, 1884).

Flaubert n'a pas connu l'ouvrage de Graetz; mais il se
souvenait certainement d'un passage de Renan, qui accepte
le récit des évangiles et qui montre, dans la *Vie de Jésus*,
l'audacieuse Salomé exécutant *une de ces danses de caractère qu'on ne considère pas en Syrie comme messéante à une
personne distinguée.* Or ces danses-là, faites pour enflammer
les hommes, Flaubert les avait vues de ses yeux, lors de
son voyage en Orient. L'image charmante de la courtisane
Sophiah Kutchiuk-Hânem restait vivante en sa mémoire.
Ses notes de voyage donnent la description de plusieurs
danses qu'elle exécuta devant lui, notamment celle de
l'Abeille, au cours de laquelle la danseuse se dénude. Il
avait vu Kutchiuk-Hânem revenir, « après avoir sauté de ce
fameux pas », haletante, « se coucher sur le coin de son
divan où son corps remuait encore en mesure ». C'est ce
souvenir évidemment qui lui suggéra, après tant d'années.

les attitudes de Salomé : *Elle se tordait la taille, balançait son ventre avec des ondulations de houle, faisait trembler ses deux seins, et son visage demeurait immobile, et ses pieds ne s'arrêtaient pas...*

Cette scène essentielle offrait au conteur une occasion nouvelle de présenter un tableau de l'Orient, avec ses merveilleuses couleurs et tous ses parfums. On sait combien un tel décor lui était cher. Il eut cependant des appréhensions : *J'ai peur de retomber dans les effets produits par* Salammbô, *car mes personnages sont de la même race et c'est un peu le même milieu...* Danger qui ne l'empêcha pas d'ailleurs de citer Moloch et les « sacrifices d'enfants », allusion directe à Carthage. Le 31 décembre 1876, il avouait à sa nièce : *Je ne suis pas sans grandes inquiétudes sur* Hérodias. *Il y manque je ne sais quoi. Il est vrai que je n'y vois plus goutte ! Mais pourquoi n'en suis-je pas sûr comme de mes deux autres ?...*

Toujours préoccupé d'étayer la fiction de précisions d'une rigoureuse exactitude, il s'était astreint à contrôler une foule de points historiques et de détails de mœurs, ne laissant de côté ni la géographie, ni l'astronomie, ni la langue même du pays qu'il voulait évoquer. Il questionnait les spécialistes continuellement.

Clermont-Ganneau, l'orientaliste qui dirigea des fouilles en Palestine, lui fournit des renseignements topographiques : *Je serais fort en peine de vous dire si Iazer est visible ou non de Machaerous, par la simple raison que MM. les exégètes ne savent pas trop où placer sur le terrain cette ville problématique. L'opinion la plus en faveur veut reconnaître Iazer dans d'intéressantes ruines nommées Seir ou Sir, droit au nord de Machaerous, entre Philadelphie et le Jourdain... Du moment que vous ne tenez pas à vous cantonner pour votre panorama dans la région située à l'ouest de la mer Morte et du Jourdain, ne pourriez-vous prendre, droit au nord, le mont Nebo et la ville du même nom ?...* Le même savant proposa aussi quelques noms de cités : Karmel, *localité biblique au sud de Hébron (entièrement distinct du mont Carmel)*, Maon, *tout près de Karmel*, Halboul, *au nord de Hébron.*

De son côté, Frédéric Baudry, vieil ami de Flaubert, avait apporté sa contribution, à propos de l'astronomie : *J'en perds la tête de courir après vos noms de constellations et d'étoiles. Jusqu'ici je n'ai rien pu accrocher pour Persée et*

*pour Mira-Coeti... Mais en attendant, comme je connais votre
impatience congénitale, je vous envoie ce que j'ai recueilli :
les noms hébreux et les noms arabes sont les mêmes. La
Grande Ourse se nomme en hébreu* Agalah; *le char arabe,*
Adjilet; Algol *est le mot arabe lui-même al-gol, la goule, le
vampire; c'est la traduction de la tête de Méduse, que cette
étoile est censée figurer, dans la constellation, sur le bouclier
de Persée.*

Finalement Flaubert triompha de toutes les difficultés,
ses craintes se calmèrent et les pages d'*Hérodias*, dans leur
brièveté éclatante, comptent parmi les plus belles qu'il ait
jamais écrites.

A quelques exceptions près, la presse fit un excellent
accueil aux *Trois contes :* « *M. Flaubert est un maître...* »
déclare *le Moniteur* (28 avril 1877). « *Ces contes sont trois
chefs-d'œuvre absolus et parfaits...* » s'écrie Banville dans son
feuilleton du *National* (14 mai 1877), tandis qu'Edouard
Drumont confirme dans *la Liberté* (23 mai) : « *Ces trois
nouvelles sont des merveilles.* » Et *le Gaulois* (4 mai) s'exprime
ainsi : « *Trois signes caractérisent l'écrivain : l'exactitude
logique, le sens poétique et le goût — excessif quelquefois —
de l'archéologie. Et des qualités qui en dérivent... se ren-
contrent ensemble et concentrées dans les* Trois contes... »
Dans *la Patrie* (8 mai), Saint-Valry fut chaleureux : « *Admirable combinaison d'exactitude et de poésie... compréhen-
sion étonnante du vrai extérieur, jointe à une pénétration
exquise du sens intime et idéal des choses...* » Enfin Mme Al-
phonse Daudet, sous le pseudonyme de Karl Steen, écrivit
dans le *Journal Officiel* (12 juin) : « *M. Flaubert est égal à
lui-même, nous dirions presque qu'il se surpasse...* »

Extrêmement sensible à la critique, l'auteur apprécia
ces éloges; d'autres jugements, moins favorables, retinrent
également son attention : *J'ai fait dire, selon ma coutume,
beaucoup de bêtises, car j'ai le don d'ahurir la critique. Elle
a presque passé sous silence* Hérodias; *quelques-uns même,
comme Sarcey, ont eu la bonne foi de déclarer que* « *c'était,
trop fort pour eux* ». Un monsieur, dans l'*Union, trouve que*
Félicité, *c'est* « Germinie Lacerteux *au pays du cidre* »!
Ingénieux rapprochement.

Le compte rendu le plus acerbe parut dans la *Revue des*

Deux Mondes (1er juin); il était signé d'un nom encore peu connu, Ferdinand Brunetière : *Les* Trois contes, *que vient de publier M. Flaubert, sont certainement ce qu'il avait encore écrit de plus faible. Ce n'est pas à la vérité parce que le cadre est plus étroit... Nous retrouvons M. Flaubert, c'est vrai, mais nous le retrouvons tel que nous le connaissions de longue date, et c'est précisément, c'est surtout de quoi nous nous plaignons... Ce n'est pas une manière, ce sont des paysages, des scènes entières, des visages connus qu'ils nous rappellent, ces* Trois contes! *Les mêmes dessins sur les mêmes fonds, les mêmes tableaux dans les mêmes cadres; et ceci, c'est la marque d'une invention qui tarit.*

On accordera à ce critique malveillant que les teintes d'*Un cœur simple* sont presque les mêmes que celles de *Madame Bovary;* des rapprochements analogues peuvent être faits — l'auteur s'en rendait parfaitement compte — aussi bien avec *Hérodias* et *Salammbô* qu'avec *la Légende de saint Julien* et *la Tentation de saint Antoine*. Peut-être ne lui déplaisait-il pas, au fond, de réunir dans ses trois contes les tonalités de ses principales œuvres.

Si chaque récit a sa couleur, la magnifique harmonie du style donne au livre son unité. Le prosateur vise au raccourci et sa forme, ramassée et sonore, atteint une puissance inégalée. Tout un paysage est brossé en deux lignes : *La cour est en pente, la maison dans le milieu; et la mer, au loin, apparaît comme une tache grise.* Deux lignes aussi suffisent pour peindre en quelques traits une bru malencontreuse : *Elle dénigra les usages de Pont-l'Évêque, fit la princesse, blessa Félicité. Mme Aubain, à son départ, sentit un allégement.* On admire, dans *Saint Julien* surtout, des séries de phrases courtes, qui font songer au style de Montesquieu : *Il se composa une armée. Elle grossit. Il devint fameux. On le recherchait.* En quelques mots, toute une évocation est réalisée : *Les cornes de son hennin frôlaient le linteau des portes... Il s'accoutuma au fracas des mêlées, à l'aspect des moribonds... Les vitraux garnis de plomb obscurcissaient la pâleur de l'aube...* Quelquefois la brièveté de la phrase est rehaussée par la beauté surprenante de l'image. Dans *Hérodias*, le visage de Iaokanann *avait l'air d'une broussaille où étincelaient deux charbons.* Un mot révèle Vitellius, *cette fleur des fanges de Caprée.* On voit Salomé qui parcourt l'estrade sur les mains, *comme un grand scarabée.*

On reconnaît le maître, écrivit Taine au solitaire de

Croisset, *l'homme qui sait composer, harmoniser tous ses effets, et ne lâche pas un trait, pas un mot qui ne concoure à l'impression finale. De plus votre calme, votre perpétuelle absence est toute-puissante; comme disait Tourguénieff, cela coupe le fil ombilical qui rattache presque toujours une œuvre à son auteur. A mon avis, le chef-d'œuvre est* Hérodias. *Julien est très vrai, mais c'est le monde imaginé par le Moyen Age, et non le Moyen Age lui-même; ce que vous souhaitiez, puisque vous vouliez produire l'effet d'un vitrail; cet effet y est; la poursuite de Julien par les bêtes, le lépreux, tout du pur idéal de l'an 1200. Mais* Hérodias *est la Judée, 30 ans après J.-C., la Judée réelle, et bien plus difficile à rendre, parce qu'il s'agit d'une autre race, d'une autre civilisation, d'un autre climat. Vous aviez bien raison de me dire qu'à présent l'histoire et le roman ne peuvent plus se distinguer.*

De nos jours, quand on aborde l'œuvre de Gustave Flaubert, l'admiration va surtout vers ses grands monuments savamment construits. Il est bien certain qu'à côté de *Madame Bovary* ou de *l'Éducation sentimentale* les *Trois contes* peuvent être considérés, si l'on veut, comme des ouvrages secondaires. Ils n'en sont pas moins, sous leur forme réduite, des créations d'un art souverain. Et ce petit volume, finalement, est peut-être le plus représentatif de l'œuvre de Flaubert.

Peut-être même le plus représentatif de toute son époque.

Jacques SUFFEL.

TROIS CONTES

UN CŒUR SIMPLE

I

Pendant un demi-siècle, les bourgeoises de Pont-l'Évêque envièrent à Mme Aubain sa servante Félicité.

Pour cent francs par an, elle faisait la cuisine et le ménage, cousait, lavait, repassait, savait brider un cheval, engraisser les volailles, battre le beurre, et resta fidèle à sa maîtresse, — qui cependant n'était pas une personne agréable.

Elle avait épousé un beau garçon sans fortune, mort au commencement de 1809, en lui laissant deux enfants très jeunes avec une quantité de dettes. Alors elle vendit ses immeubles, sauf la ferme de Toucques et la ferme de Geffosses, dont les rentes montaient à 5 000 francs tout au plus, et elle quitta sa maison de Saint-Melaine pour en habiter une autre moins dispendieuse, ayant appartenu à ses ancêtres et placée derrière les halles.

Cette maison, revêtue d'ardoises, se trouvait entre un passage et une ruelle aboutissant à la rivière. Elle avait intérieurement des différences de niveau qui

faisaient trébucher. Un vestibule étroit
séparait la cuisine de la *salle* où Mme Aubain se tenait tout le long du jour, assise
près de la croisée dans un fauteuil de
paille. Contre le lambris, peint en blanc,
s'alignaient huit chaises d'acajou. Un
vieux piano supportait, sous un baro-
mètre, un tas pyramidal de boîtes et de
cartons. Deux bergères de tapisserie flan-
quaient la cheminée en marbre jaune et
de style Louis XV. La pendule, au milieu,
représentait un temple de Vesta, — et
tout l'appartement sentait un peu le
moisi, car le plancher était plus bas que le
jardin.

Au premier étage, il y avait d'abord la
chambre de « Madame », très grande,
tendue d'un papier à fleurs pâles, et
contenant le portrait de « Monsieur »
en costume de muscadin. Elle commu-
niquait avec une chambre plus petite,
où l'on voyait deux couchettes d'enfants,
sans matelas. Puis venait le salon, toujours
fermé, et rempli de meubles recouverts
d'un drap. Ensuite un corridor menait à
un cabinet d'étude; des livres et des
paperasses garnissaient les rayons d'une
bibliothèque entourant de ses trois côtés
un large bureau de bois noir. Les deux
panneaux en retour disparaissaient sous
des dessins à la plume, des paysages à la
gouache et des gravures d'Audran, sou-

venirs d'un temps meilleur et d'un luxe
évanoui. Une lucarne au second étage
éclairait la chambre de Félicité, ayant
vue sur les prairies.

Elle se levait dès l'aube, pour ne pas
manquer la messe, et travaillait jusqu'au
soir sans interruption; puis, le dîner
étant fini, la vaisselle en ordre et la porte
bien close, elle enfouissait la bûche sous
les cendres et s'endormait devant l'âtre,
son rosaire à la main. Personne, dans les
marchandages, ne montrait plus d'entê-
tement. Quant à la propreté, le poli de ses
casseroles faisait le désespoir des autres
servantes. Économe, elle mangeait avec
lenteur, et recueillait du doigt sur la
table les miettes de son pain, — un pain
de douze livres, cuit exprès pour elle, et
qui durait vingt jours.

En toute saison elle portait un
mouchoir d'indienne fixé dans le dos
par une épingle, un bonnet lui cachant
les cheveux, des bas gris, un jupon rouge,
et par-dessus sa camisole un tablier à
bavette, comme les infirmières d'hôpital.

Son visage était maigre et sa voix
aiguë. A vingt-cinq ans, on lui en donnait
quarante. Dès la cinquantaine, elle ne
marqua plus aucun âge; — et, toujours
silencieuse, la taille droite et les gestes
mesurés, semblait une femme en bois,
fonctionnant d'une manière automatique.

II

Elle avait eu, comme une autre, son
histoire d'amour.

Son père, un maçon, s'était tué en
tombant d'un échafaudage. Puis sa mère
mourut, ses sœurs se dispersèrent, un
fermier la recueillit, et l'employa toute
petite à garder les vaches dans la campagne. Elle grelottait sous des haillons,
buvait à plat ventre l'eau des mares, à
propos de rien était battue, et finalement
fut chassée pour un vol de trente sols,
qu'elle n'avait pas commis. Elle entra
dans une autre ferme, y devint fille de
basse-cour, et, comme elle plaisait aux
patrons, ses camarades la jalousaient.

Un soir du mois d'août (elle avait
alors dix-huit ans), ils l'entraînèrent à
l'assemblée de Colleville. Tout de suite
elle fut étourdie, stupéfaite par le tapage
des ménétriers, les lumières dans les
arbres, la bigarrure des costumes, les
dentelles, les croix d'or, cette masse de
monde sautant à la fois. Elle se tenait à
l'écart modestement, quand un jeune
homme d'apparence cossue, et qui fumait
sa pipe les deux coudes sur le timon

d'un banneau, vint l'inviter à la danse.
Il lui paya du cidre, du café, de la galette,
un foulard, et, s'imaginant qu'elle le
devinait, offrit de la reconduire. Au bord
d'un champ d'avoine, il la renversa
brutalement. Elle eut peur et se mit à
crier. Il s'éloigna.

Un autre soir, sur la route de Beaumont,
elle voulut dépasser un grand chariot de
foin qui avançait lentement, et en frôlant
les roues elle reconnut Théodore.

Il l'aborda d'un air tranquille, disant
qu'il fallait tout pardonner, puisque c'était
« la faute de la boisson ».

Elle ne sut que répondre et avait
envie de s'enfuir.

Aussitôt il parla des récoltes et des
notables de la commune, car son père
avait abandonné Colleville pour la ferme
des Écots, de sorte que maintenant ils
se trouvaient voisins. — « Ah! » dit-elle.
Il ajouta qu'on désirait l'établir. Du reste,
il n'était pas pressé, et attendait une
femme à son goût. Elle baissa la tête.
Alors il lui demanda si elle pensait au
mariage. Elle reprit, en souriant, que
c'était mal de se moquer. — « Mais non,
je vous jure! » et du bras gauche il lui
entoura la taille; elle marchait soutenue
par son étreinte; ils se ralentirent. Le
vent était mou, les étoiles brillaient,
l'énorme charretée de foin oscillait devant

eux; et les quatre chevaux, en traînant leurs pas, soulevaient de la poussière. Puis, sans commandement, ils tournèrent à droite. Il l'embrassa encore une fois. Elle disparut dans l'ombre.

Théodore, la semaine suivante, en obtint des rendez-vous.

Ils se rencontraient au fond des cours, derrière un mur, sous un arbre isolé. Elle n'était pas innocente à la manière des demoiselles, — les animaux l'avaient instruite; — mais la raison et l'instinct de l'honneur l'empêchèrent de faillir. Cette résistance exaspéra l'amour de Théodore, si bien que pour le satisfaire (ou naïvement peut-être) il proposa de l'épouser. Elle hésitait à le croire. Il fit de grands serments.

Bientôt il avoua quelque chose de fâcheux : ses parents, l'année dernière, lui avaient acheté un homme; mais d'un jour à l'autre on pourrait le reprendre; l'idée de servir l'effrayait. Cette couardise fut pour Félicité une preuve de tendresse; la sienne en redoubla. Elle s'échappait la nuit, et parvenue au rendez-vous, Théodore la torturait avec ses inquiétudes et ses instances.

Enfin, il annonça qu'il irait lui-même à la Préfecture prendre des informations, et les apporterait dimanche prochain, entre onze heures et minuit.

Le moment arrivé, elle courut vers l'amoureux.

A sa place, elle trouva un de ses amis.

Il lui apprit qu'elle ne devait plus le revoir. Pour se garantir de la conscription, Théodore avait épousé une vieille femme très riche, Mme Lehoussais, de Toucques.

Ce fut un chagrin désordonné. Elle se jeta par terre, poussa des cris, appela le bon Dieu, et gémit toute seule dans la campagne jusqu'au soleil levant. Puis elle revint à la ferme, déclara son intention d'en partir; et, au bout du mois, ayant reçu ses comptes, elle enferma tout son petit bagage dans un mouchoir, et se rendit à Pont-l'Évêque.

Devant l'auberge, elle questionna une bourgeoise en capeline de veuve, et qui précisément cherchait une cuisinière. La jeune fille ne savait pas grand-chose, mais paraissait avoir tant de bonne volonté et si peu d'exigences que Mme Aubain finit par dire :

« — Soit, je vous accepte! »

Félicité, un quart d'heure après, était installée chez elle.

D'abord elle y vécut dans une sorte de tremblement que lui causaient « le genre de la maison » et le souvenir de « Monsieur », planant sur tout! Paul et Virginie, l'un âgé de sept ans, l'autre de quatre à peine, lui semblaient formés

d'une matière précieuse; elle les portait
sur son dos comme un cheval, et Mme Aubain lui défendit de les baiser à chaque
minute, ce qui la mortifia. Cependant
elle se trouvait heureuse. La douceur
du milieu avait fondu sa tristesse.

Tous les jeudis, des habitués venaient
faire une partie de boston. Félicité prépa-
rait d'avance les cartes et les chaufferettes.
Ils arrivaient à huit heures bien juste,
et se retiraient avant le coup de onze.

Chaque lundi matin, le brocanteur qui
logeait sous l'allée étalait par terre ses
ferrailles. Puis la ville se remplissait d'un
bourdonnement de voix, où se mêlaient
des hennissements de chevaux, des bêle-
ments d'agneaux, des grognements de
cochons, avec le bruit sec des carrioles
dans la rue. Vers midi, au plus fort du
marché, on voyait paraître sur le seuil
un vieux paysan de haute taille, la cas-
quette en arrière, le nez crochu, et qui
était Robelin, le fermier de Geffosses.
Peu de temps après, — c'était Liébard,
le fermier de Toucques, petit, rouge,
obèse, portant une veste grise et des
houseaux armés d'éperons.

Tous deux offraient à leur propriétaire
des poules ou des fromages. Félicité
invariablement déjouait leurs astuces; et
ils s'en allaient pleins de considération
pour elle.

A des époques indéterminées, Mme Aubain recevait la visite du marquis de Gremanville, un de ses oncles, ruiné par la crapule et qui vivait à Falaise sur le dernier lopin de ses terres. Il se présentait toujours à l'heure du déjeuner, avec un affreux caniche dont les pattes salissaient tous les meubles. Malgré ses efforts pour paraître gentilhomme jusqu'à soulever son chapeau chaque fois qu'il disait : « Feu mon père », l'habitude l'entraînant, il se versait à boire coup sur coup, et lâchait des gaillardises. Félicité le poussait dehors poliment : « Vous en avez assez, monsieur de Gremanville! A une autre fois! » Et elle refermait la porte.

Elle l'ouvrait avec plaisir devant M. Bourais, ancien avoué. Sa cravate blanche et sa calvitie, le jabot de sa chemise, son ample redingote brune, sa façon de priser en arrondissant le bras, tout son individu lui produisait ce trouble où nous jette le spectacle des hommes extraordinaires.

Comme il gérait les propriétés de « Madame », il s'enfermait avec elle pendant des heures dans le cabinet de « Monsieur », et craignait toujours de se compromettre, respectait infiniment la magistrature, avait des prétentions au latin.

Pour instruire les enfants d'une manière

agréable, il leur fit cadeau d'une géographie en estampes. Elles représentaient différentes scènes du monde, des anthropophages coiffés de plumes, un singe enlevant une demoiselle, des Bédouins dans le désert, une baleine qu'on harponnait, etc.

Paul donna l'explication de ces gravures à Félicité. Ce fut même toute son éducation littéraire.

Celle des enfants était faite par Guyot, un pauvre diable employé à la Mairie, fameux pour sa belle main, et qui repassait son canif sur sa botte.

Quand le temps était clair, on s'en allait de bonne heure à la ferme de Geffosses.

La cour est en pente, la maison dans le milieu; et la mer, au loin, apparaît comme une tache grise.

Félicité retirait de son cabas des tranches de viande froide, et on déjeunait dans un appartement faisant suite à la laiterie. Il était le seul reste d'une habitation de plaisance, maintenant disparue. Le papier de la muraille, en lambeaux, tremblait aux courants d'air. Mme Aubain penchait son front, accablée de souvenirs; les enfants n'osaient plus parler. « Mais jouez donc! » disait-elle; ils décampaient.

Paul montait dans la grange, attrapait des oiseaux, faisait des ricochets sur la mare, ou tapait avec un bâton les grosses futailles qui résonnaient comme des tambours.

Virginie donnait à manger aux lapins, se précipitait pour cueillir des bluets, et la rapidité de ses jambes découvrait ses petits pantalons brodés.

Un soir d'automne, on s'en retourna par les herbages.

La lune à son premier quartier éclairait une partie du ciel, et un brouillard flottait comme une écharpe sur les sinuosités de la Toucques. Des bœufs, étendus au milieu du gazon, regardaient tranquillement ces quatre personnes passer. Dans la troisième pâture quelques-uns se levèrent, puis se mirent en rond devant elles. — « Ne craignez rien! » dit Félicité; et, murmurant une sorte de complainte, elle flatta sur l'échine celui qui se trouvait le plus près; il fit volte-face, les autres l'imitèrent. Mais, quand l'herbage suivant fut traversé, un beuglement formidable s'éleva. C'était un taureau, que cachait le brouillard. Il avança vers les deux femmes. Mme Aubain allait courir. — « Non! non! moins vite! » Elles pressaient le pas cependant, et entendaient par-derrière un souffle sonore qui se rapprochait. Ses sabots, comme des marteaux, battaient l'herbe de la prairie; voilà qu'il galopait maintenant! Félicité se retourna,

et elle arrachait à deux mains des plaques
de terre qu'elle lui jetait dans les yeux. Il
baissait le mufle, secouait les cornes et
tremblait de fureur en beuglant horri-
blement. Mme Aubain, au bout de l'herbage avec ses deux petits, cherchait
éperdue comment franchir le haut bord.
Félicité reculait toujours devant le
taureau, et continuellement lançait des
mottes de gazon qui l'aveuglaient, tandis
qu'elle criait : — « Dépêchez-vous!
dépêchez-vous! »

Mme Aubain descendit le fossé, poussa
Virginie, Paul ensuite, tomba plusieurs
fois en tâchant de gravir le talus, et à
force de courage y parvint.

Le taureau avait acculé Félicité contre
une claire-voie; sa bave lui rejaillissait à
la figure, une seconde de plus il l'éven-
trait. Elle eut le temps de se couler entre
deux barreaux, et la grosse bête, toute
surprise, s'arrêta.

Cet événement, pendant bien des
années, fut un sujet de conversation à
Pont-l'Évêque. Félicité n'en tira aucun
orgueil, ne se doutant même pas qu'elle
eût rien fait d'héroïque.

Virginie l'occupait exclusivement; —
car elle eut, à la suite de son effroi, une
affection nerveuse, et M. Poupart, le docteur, conseilla les bains de mer de Trouville.

Dans ce temps-là, ils n'étaient pas fréquentés. Mme Aubain prit des renseignements, consulta Bourais, fit des préparatifs comme pour un long voyage.

Ses colis partirent la veille, dans la charrette de Liébard. Le lendemain, il amena deux chevaux dont l'un avait une selle de femme, munie d'un dossier de velours ; et sur la croupe du second un manteau roulé formait une manière de siège. Mme Aubain y monta, derrière lui. Félicité se chargea de Virginie, et Paul enfourcha l'âne de M. Lechaptois, prêté sous la condition d'en avoir grand soin.

La route était si mauvaise que ses huit kilomètres exigèrent deux heures. Les chevaux enfonçaient jusqu'aux paturons dans la boue, et faisaient pour en sortir de brusques mouvements des hanches ; ou bien ils butaient contre les ornières ; d'autres fois, il leur fallait sauter. La jument de Liébard, à de certains endroits, s'arrêtait tout à coup. Il attendait patiemment qu'elle se remît en marche ; et il parlait des personnes dont les propriétés bordaient la route, ajoutant à leur histoire des réflexions morales. Ainsi, au milieu de Toucques, comme on passait sous des fenêtres entourées de capucines, il dit, avec un haussement d'épaules :
— « En voilà une, Mme Lehoussais, qui au lieu de prendre un jeune homme... »

Félicité n'entendit pas le reste; les chevaux trottaient, l'âne galopait; tous enfi-
lèrent un sentier, une barrière tourna,
deux garçons parurent, et l'on descendit
devant le purin, sur le seuil même de la
porte.

La mère Liébard, en apercevant sa maîtresse, prodigua les démonstrations de
joie. Elle lui servit un déjeuner où il y
avait un aloyau, des tripes, du boudin,
une fricassée de poulet, du cidre mous-
seux, une tarte aux compotes et des
prunes à l'eau-de-vie, accompagnant le
tout de politesses à Madame qui paraissait en meilleure santé, à Mademoiselle
devenue « magnifique », à M. Paul singu-
lièrement « forci », sans oublier leurs
grands-parents défunts que les Liébard
avaient connus, étant au service de la
famille depuis plusieurs générations. La
ferme avait, comme eux, un caractère
d'ancienneté. Les poutrelles du plafond
étaient vermoulues, les murailles noires
de fumée, les carreaux gris de poussière.
Un dressoir en chêne supportait toutes
sortes d'ustensiles, des brocs, des assiettes,
des écuelles d'étain, des pièges à loup,
des forces pour les moutons; une seringue
énorme fit rire les enfants. Pas un arbre
des trois cours qui n'eût des champi-
gnons à sa base, ou dans ses rameaux
une touffe de gui. Le vent en avait jeté

bas plusieurs. Ils avaient repris par le milieu; et tous fléchissaient sous la quantité de leurs pommes. Les toits de paille, pareils à du velours brun et inégaux d'épaisseur, résistaient aux plus fortes bourrasques. Cependant la charreterie tombait en ruine. Mme Aubain dit qu'elle aviserait, et commanda de reharnacher les bêtes.

On fut encore une demi-heure avant d'atteindre Trouville. La petite caravane mit pied à terre pour passer les *Écores;* c'était une falaise surplombant des bateaux; et trois minutes plus tard, au bout du quai, on entra dans la cour de l'*Agneau d'or*, chez la mère David.

Virginie, dès les premiers jours, se sentit moins faible, résultat du changement d'air et de l'action des bains. Elle les prenait en chemise, à défaut d'un costume; et sa bonne la rhabillait dans une cabane de douanier qui servait aux baigneurs.

L'après-midi, on s'en allait avec l'âne au-delà des Roches-Noires, du côté d'Hennequeville. Le sentier, d'abord, montait entre des terrains vallonnés comme la pelouse d'un parc, puis arrivait sur un plateau où alternaient des pâturages et des champs en labour. A la lisière du chemin, dans le fouillis des ronces, des houx se dressaient; çà et là, un grand arbre mort

faisait sur l'air bleu des zigzags avec ses
branches.

Presque toujours on se reposait dans
un pré, ayant Deauville à gauche, le Havre
à droite et en face la pleine mer. Elle
était brillante de soleil, lisse comme un
miroir, tellement douce qu'on entendait
à peine son murmure; des moineaux
cachés pépiaient, et la voûte immense du
ciel recouvrait tout cela. Mme Aubain,
assise, travaillait à son ouvrage de cou-
ture; Virginie près d'elle tressait des joncs;
Félicité sarclait des fleurs de lavande;
Paul, qui s'ennuyait, voulait partir.

D'autres fois, ayant passé la Toucques
en bateau, ils cherchaient des coquilles.
La marée basse laissait à découvert des
oursins, des godefiches, des méduses; et
les enfants couraient, pour saisir des
flocons d'écume que le vent emportait.
Les flots endormis, en tombant sur le
sable, se déroulaient le long de la grève;
elle s'étendait à perte de vue, mais du
côté de la terre avait pour limite les dunes
la séparant du *Marais*, large prairie en
forme d'hippodrome. Quand ils revenaient par là, Trouville, au fond sur la
pente du coteau, à chaque pas grandissait,
et avec toutes ses maisons inégales semblait s'épanouir dans un désordre gai.

Les jours qu'il faisait trop chaud, ils ne
sortaient pas de leur chambre. L'éblouis-

sante clarté du dehors plaquait des barres de lumière entre les lames des jalousies. Aucun bruit dans le village. En bas, sur le trottoir, personne. Ce silence épandu augmentait la tranquillité des choses. Au loin, les marteaux des calfats tamponnaient des carènes, et une brise lourde apportait la senteur du goudron.

Le principal divertissement était le retour des barques. Dès qu'elles avaient dépassé les balises, elles commençaient à louvoyer. Leurs voiles descendaient aux deux tiers des mâts; et, la misaine gonflée comme un ballon, elles avançaient, glissaient dans le clapotement des vagues, jusqu'au milieu du port, où l'ancre tout à coup tombait. Ensuite le bateau se plaçait contre le quai. Les matelots jetaient par-dessus le bordage des poissons palpitants; une file de charrettes les attendait, et des femmes en bonnet de coton s'élançaient pour prendre les corbeilles et embrasser leurs hommes.

Une d'elles, un jour, aborda Félicité, qui peu de temps après entra dans la chambre, toute joyeuse. Elle avait retrouvé une sœur; et Nastasie Barette, femme Leroux, apparut, tenant un nourrisson à sa poitrine, de la main droite un autre enfant, et à sa gauche un petit mousse les poings sur les hanches et le béret sur l'oreille.

Au bout d'un quart d'heure, Mme Aubain la congédia.

On les rencontrait toujours aux abords de la cuisine, ou dans les promenades que l'on faisait. Le mari ne se montrait pas.

Félicité se prit d'affection pour eux. Elle leur acheta une couverture, des chemises, un fourneau; évidemment ils l'exploitaient. Cette faiblesse agaçait Mme Aubain, qui d'ailleurs n'aimait pas les familiarités du neveu, — car il tutoyait son fils; — et, comme Virginie toussait et que la saison n'était plus bonne, elle revint à Pont-l'Évêque.

M. Bourais l'éclaira sur le choix d'un collège. Celui de Caen passait pour le meilleur. Paul y fut envoyé; et fit bravement ses adieux, satisfait d'aller vivre dans une maison où il aurait des camarades.

Mme Aubain se résigna à l'éloignement de son fils, parce qu'il était indispensable. Virginie y songea de moins en moins. Félicité regrettait son tapage. Mais une occupation vint la distraire; à partir de Noël, elle mena tous les jours la petite fille au catéchisme.

III

Quand elle avait fait à la porte une génuflexion, elle s'avançait sous la haute nef entre la double ligne des chaises, ouvrait le banc de Mme Aubain, s'asseyait, et promenait ses yeux autour d'elle.

Les garçons à droite, les filles à gauche, emplissaient les stalles du chœur; le curé se tenait debout près du lutrin; sur un vitrail de l'abside, le Saint-Esprit dominait la Vierge; un autre la montrait à genoux devant l'Enfant Jésus, et, derrière le tabernacle, un groupe en bois représentait saint Michel terrassant le dragon.

Le prêtre fit d'abord un abrégé de l'Histoire Sainte. Elle croyait voir le paradis, le déluge, la tour de Babel, des villes tout en flammes, des peuples qui mouraient, des idoles renversées; et elle garda de cet éblouissement le respect du Très-Haut et la crainte de sa colère. Puis elle pleura en écoutant la Passion. Pourquoi l'avaient-ils crucifié, lui qui chérissait les enfants, nourrissait les foules, guérissait les aveugles, et avait voulu, par douceur, naître au milieu des pauvres, sur le fumier d'une étable? Les semailles, les moissons,

les pressoirs, toutes ces choses familières
dont parle l'Évangile, se trouvaient dans
sa vie; le passage de Dieu les avait sanc-
tifiées; et elle aima plus tendrement les
agneaux par amour de l'Agneau, les
colombes à cause du Saint-Esprit.

Elle avait peine à imaginer sa personne;
car il n'était pas seulement oiseau, mais
encore un feu, et d'autres fois un souffle.
C'est peut-être sa lumière qui voltige la
nuit aux bords des marécages, son haleine
qui pousse les nuées, sa voix qui rend les
cloches harmonieuses; et elle demeurait
dans une adoration, jouissant de la fraî-
cheur des murs et de la tranquillité de
l'église.

Quant aux dogmes, elle n'y comprenait
rien, ne tâcha même pas de comprendre.
Le curé discourait, les enfants récitaient,
elle finissait par s'endormir; et se réveillait tout à coup, quand ils faisaient en
s'en allant claquer leurs sabots sur les
dalles.

Ce fut de cette manière, à force de
l'entendre, qu'elle apprit le catéchisme,
son éducation religieuse ayant été négligée
dans sa jeunesse; et dès lors elle imita
toutes les pratiques de Virginie, jeûnait
comme elle, se confessait avec elle. A
la Fête-Dieu, elles firent ensemble un
reposoir.

La première communion la tourmentait

d'avance. Elle s'agita pour les souliers,
pour le chapelet, pour le livre, pour les
gants. Avec quel tremblement elle aida sa
mère à l'habiller!

Pendant toute la messe, elle éprouva
une angoisse. M. Bourais lui cachait un
côté du chœur; mais juste en face, le
troupeau des vierges portant des couronnes blanches par-dessus leurs voiles
abaissés formait comme un champ de
neige; et elle reconnaissait de loin la chère
petite à son cou plus mignon et son attitude recueillie. La cloche tinta. Les têtes
se courbèrent; il y eut un silence. Aux
éclats de l'orgue, les chantres et la foule
entonnèrent l'*Agnus Dei;* puis le défilé
des garçons commença; et, après eux, les
filles se levèrent. Pas à pas, et les mains
jointes, elles allaient vers l'autel tout illu-
miné, s'agenouillaient sur la première
marche, recevaient l'hostie successivement,
et dans le même ordre revenaient à leurs
prie-Dieu. Quand ce fut le tour de Virginie, Félicité se pencha pour la voir; et,
avec l'imagination que donnent les vraies
tendresses, il lui sembla qu'elle était elle-
même cette enfant; sa figure devenait la
sienne, sa robe l'habillait, son cœur lui
battait dans la poitrine; au moment d'ouvrir la bouche, en fermant les paupières,
elle manqua s'évanouir.

Le lendemain, de bonne heure, elle se

présenta dans la sacristie, pour que M. le
curé lui donnât la communion. Elle la
reçut dévotement, mais n'y goûta pas les
mêmes délices.

Mme Aubain voulait faire de sa fille une
personne accomplie; et, comme Guyot ne
pouvait lui montrer ni l'anglais ni la
musique, elle résolut de la mettre en pension chez les Ursulines d'Honfleur.

L'enfant n'objecta rien. Félicité soupi-
rait, trouvant Madame insensible. Puis
elle songea que sa maîtresse, peut-être,
avait raison. Ces choses dépassaient sa
compétence.

Enfin, un jour, une vieille tapissière
s'arrêta devant la porte; et il en descendit
une religieuse qui venait chercher Mademoiselle. Félicité monta les bagages sur
l'impériale, fit des recommandations au
cocher, et plaça dans le coffre six pots de
confitures et une douzaine de poires, avec
un bouquet de violettes.

Virginie, au dernier moment, fut prise
d'un grand sanglot; elle embrassait sa
mère qui la baisait au front en répétant :
— « Allons! du courage! du courage! »
Le marchepied se releva, la voiture partit.

Alors Mme Aubain eut une défaillance;
et le soir tous ses amis, le ménage Lormeau, Mme Lechaptois, ces demoiselles
Rochefeuille, M. de Houppeville et Bourais se présentèrent pour la consoler.

La privation de sa fille lui fut d'abord très douloureuse. Mais trois fois la semaine elle en recevait une lettre, les autres jours lui écrivait, se promenait dans son jardin, lisait un peu, et de cette façon comblait le vide des heures.

Le matin, par habitude, Félicité entrait dans la chambre de Virginie, et regardait les murailles. Elle s'ennuyait de n'avoir plus à peigner ses cheveux, à lui lacer ses bottines, à la border dans son lit, — et de ne plus voir continuellement sa gentille figure, de ne plus la tenir par la main quand elles sortaient ensemble. Dans son désœu- vrement, elle essaya de faire de la den- telle. Ses doigts trop lourds cassaient les fils; elle n'entendait à rien, avait perdu le sommeil, suivant son mot, était « minée ».

Pour « se dissiper », elle demanda la permission de recevoir son neveu Victor.

Il arrivait le dimanche après la messe, les joues roses, la poitrine nue, et sentant l'odeur de la campagne qu'il avait tra- versée. Tout de suite, elle dressait son couvert. Ils déjeunaient l'un en face de l'autre; et, mangeant elle-même le moins possible pour épargner la dépense, elle le bourrait tellement de nourriture qu'il finissait par s'endormir. Au premier coup des vêpres, elle le réveillait, brossait son pantalon, nouait sa cravate, et se

rendait à l'église, appuyée sur son bras
dans un orgueil maternel.

Ses parents le chargeaient toujours d'en
tirer quelque chose, soit un paquet de
cassonade, du savon, de l'eau-de-vie, parfois même de l'argent. Il apportait ses
nippes à raccommoder; et elle acceptait
cette besogne, heureuse d'une occasion
qui le forçait à revenir.

Au mois d'août, son père l'emmena au
cabotage.

C'était l'époque des vacances. L'arrivée
des enfants la consola. Mais Paul devenait
capricieux, et Virginie n'avait plus l'âge
d'être tutoyée, ce qui mettait une gêne, une
barrière entre elles.

Victor alla successivement à Morlaix, à
Dunkerque et à Brighton; au retour de
chaque voyage, il lui offrait un cadeau.
La première fois, ce fut une boîte en
coquilles; la seconde, une tasse à café;
la troisième, un grand bonhomme en pain
d'épice. Il embellissait, avait la taille
bien prise, un peu de moustache, de bons
yeux francs, et un petit chapeau de cuir,
placé en arrière comme un pilote. Il l'amu-
sait en lui racontant des histoires mêlées
de termes marins.

Un lundi, 14 juillet 1819 (elle n'oublia
pas la date), Victor annonça qu'il était
engagé au long cours, et, dans la nuit du
surlendemain, par le paquebot de Hon-

fleur, irait rejoindre sa goélette, qui devait
démarrer du Havre prochainement. Il
serait, peut-être, deux ans parti.

La perspective d'une telle absence
désola Félicité; et pour lui dire encore
adieu, le mercredi soir, après le dîner de
Madame, elle chaussa des galoches, et
avala les quatre lieues qui séparent Pont-
l'Évêque de Honfleur.

Quand elle fut devant le Calvaire, au
lieu de prendre à gauche, elle prit à droite,
se perdit dans des chantiers, revint sur ses
pas; des gens qu'elle accosta l'engagèrent
à se hâter. Elle fit le tour du bassin rempli
de navires, se heurtait contre des amarres;
puis le terrain s'abaissa, des lumières
s'entrecroisèrent, et elle se crut folle, en
apercevant des chevaux dans le ciel.

Au bord du quai, d'autres hennis-
saient, effrayés par la mer. Un palan qui
les enlevait les descendait dans un bateau,
où des voyageurs se bousculaient entre
les barriques de cidre, les paniers de fro-
mage, les sacs de grain; on entendait
chanter des poules, le capitaine jurait; et
un mousse restait accoudé sur le bossoir,
indifférent à tout cela. Félicité, qui ne
l'avait pas reconnu, criait : « Victor! »;
il leva la tête; elle s'élançait, quand on
retira l'échelle tout à coup.

Le paquebot, que des femmes halaient
en chantant, sortit du port. Sa membrure

craquait, les vagues pesantes fouettaient
sa proue. La voile avait tourné, on ne vit
plus personne; — et, sur la mer argentée
par la lune, il faisait une tache noire qui
pâlissait toujours, s'enfonça, disparut.

Félicité, en passant près du Calvaire,
voulut recommander à Dieu ce qu'elle
chérissait le plus; et elle pria pendant longtemps, debout, la face baignée de pleurs,
les yeux vers les nuages. La ville dormait,
des douaniers se promenaient; et de l'eau
tombait sans discontinuer par les trous
de l'écluse, avec un bruit de torrent. Deux
heures sonnèrent.

Le parloir n'ouvrirait pas avant le
jour. Un retard, bien sûr, contrarierait
Madame; et, malgré son désir d'embrasser
l'autre enfant, elle s'en retourna. Les filles
de l'auberge s'éveillaient, comme elle entrait dans Pont-l'Évêque.

Le pauvre gamin durant des mois allait
donc rouler sur les flots! Ses précédents
voyages ne l'avaient pas effrayée. De l'Angleterre et de la Bretagne, on revenait;
mais l'Amérique, les Colonies, les Iles,
cela était perdu dans une région incertaine,
à l'autre bout du monde.

Dès lors, Félicité pensa exclusivement
à son neveu. Les jours de soleil, elle se
tourmentait de la soif; quand il faisait de
l'orage, craignait pour lui la foudre. En
écoutant le vent qui grondait dans la

cheminée et emportait les ardoises, elle
le voyait battu par cette même tempête,
au sommet d'un mât fracassé, tout le corps
en arrière, sous une nappe d'écume; ou
bien, — souvenir de la géographie en
estampes, — il était mangé par les sauvages, pris dans un bois par des singes,
se mourait le long d'une plage déserte.
Et jamais elle ne parlait de ses inquiétudes.

Mme Aubain en avait d'autres sur sa
fille.

Les bonnes sœurs trouvaient qu'elle
était affectueuse, mais délicate. La moindre
émotion l'énervait. Il fallut abandonner le
piano.

Sa mère exigeait du couvent une correspondance réglée. Un matin que le fac-
teur n'était pas venu, elle s'impatienta;
et elle marchait dans la salle, de son fauteuil à la fenêtre. C'était vraiment extraordinaire! depuis quatre jours, pas de
nouvelles!

Pour qu'elle se consolât par son
exemple, Félicité lui dit :

— « Moi, madame, voilà six mois que
je n'en ai reçu!... »

— « De qui donc?... »

Le servante répliqua doucement :

— « Mais... de mon neveu! »

— « Ah! votre neveu! » Et, haussant
les épaules, Mme Aubain reprit sa prome-

nade, ce qui voulait dire : « Je n'y pensais
pas!... Au surplus, je m'en moque! un
mousse, un gueux, belle affaire!... tandis
que ma fille... Songez donc!... »

Félicité, bien que nourrie dans la
rudesse, fut indignée contre Madame, puis
oublia.

Il lui paraissait tout simple de perdre la
tête à l'occasion de la petite.

Les deux enfants avaient une importance égale; un lien de son cœur les unis-
sait, et leurs destinées devaient être la
même.

Le pharmacien lui apprit que le bateau
de Victor était arrivé à la Havane. Il avait
lu ce renseignement dans une gazette.

A cause des cigares, elle imaginait la
Havane un pays où l'on ne fait pas autre
chose que de fumer, et Victor circulait
parmi des nègres dans un nuage de tabac.
Pouvait-on « en cas de besoin » s'en
retourner par terre? A quelle distance
était-ce de Pont-l'Évêque? Pour le savoir,
elle interrogea M. Bourais.

Il atteignit son atlas, puis commença
des explications sur les longitudes; et il
avait un beau sourire de cuistre devant
l'ahurissement de Félicité. Enfin, avec son
porte-crayon, il indiqua dans les décou-
pures d'une tache ovale un point noir,
imperceptible, en ajoutant : « Voici. »
Elle se pencha sur la carte; ce réseau de

lignes coloriées fatiguait sa vue, sans lui
rien apprendre; et Bourais l'invitant à
dire ce qui l'embarrassait, elle le pria de lui
montrer la maison où demeurait Victor.
Bourais leva les bras, il éternua, rit énor-
mément; une candeur pareille excitait sa
joie; et Félicité n'en comprenait pas le
motif, — elle qui s'attendait peut-être à
voir jusqu'au portrait de son neveu, tant
son intelligence était bornée!

Ce fut quinze jours après que Liébard,
à l'heure du marché comme d'habitude,
entra dans la cuisine, et lui remit une
lettre qu'envoyait son beau-frère. Ne
sachant lire aucun des deux, elle eut
recours à sa maîtresse.

Mme Aubain, qui comptait les mailles
d'un tricot, le posa près d'elle, décacheta
la lettre, tressaillit, et, d'une voix basse,
avec un regard profond :

— « C'est un malheur... qu'on vous annonce. Votre neveu... »

Il était mort. On n'en disait pas davantage.

Félicité tomba sur une chaise, en s'appuyant la tête à la cloison, et ferma ses
paupières, qui devinrent roses tout à coup.
Puis, le front baissé, les mains pendantes,
l'œil fixe, elle répétait par intervalles :

— « Pauvre petit gars! pauvre petit
gars! »

Liébard la considérait en exhalant des

soupirs. Mme Aubain tremblait un peu.

Elle lui proposa d'aller voir sa sœur, à Trouville.

Félicité répondit, par un geste, qu'elle n'en avait pas besoin.

Il y eut un silence. Le bonhomme Liébard jugea convenable de se retirer.

Alors elle dit :

— « Ça ne leur fait rien, à eux! »

Sa tête retomba; et machinalement elle soulevait, de temps à autre, les longues aiguilles sur la table à ouvrage.

Des femmes passèrent dans la cour avec un bard d'où dégouttelait du linge.

En les apercevant par les carreaux, elle se rappela sa lessive; l'ayant coulée la veille, il fallait aujourd'hui la rincer; et elle sortit de l'appartement.

Sa planche et son tonneau étaient au bord de la Toucques. Elle jeta sur la berge un tas de chemises, retroussa ses manches, prit son battoir; et les coups forts qu'elle donnait s'entendaient dans les autres jardins à côté. Les prairies étaient vides, le vent agitait la rivière; au fond, de grandes herbes s'y penchaient, comme des chevelures de cadavres flottant dans l'eau. Elle retenait sa douleur, jusqu'au soir fut très brave; mais, dans sa chambre, elle s'y abandonna, à plat ventre sur son matelas, le visage dans l'oreiller, et les deux poings contre les tempes.

Beaucoup plus tard, par le capitaine de Victor lui-même, elle connut les circonstances de sa fin. On l'avait trop saigné à l'hôpital, pour la fièvre jaune. Quatre médecins le tenaient à la fois. Il était mort immédiatement, et le chef avait dit :

— « Bon! encore un! »

Ses parents l'avaient toujours traité avec barbarie. Elle aima mieux ne pas les revoir; et ils ne firent aucune avance, par oubli, ou endurcissement de misérables.

Virginie s'affaiblissait.

Des oppressions, de la toux, une fièvre continuelle et des marbrures aux pommettes décelaient quelque affection profonde. M. Poupart avait conseillé un séjour en Provence. Mme Aubain s'y décida, et eût tout de suite repris sa fille à la maison, sans le climat de Pont-l'Évêque.

Elle fit un arrangement avec un loueur de voitures, qui la menait au couvent chaque mardi. Il y a dans le jardin une terrasse d'où l'on découvre la Seine. Virginie s'y promenait à son bras, sur les feuilles de pampre tombées. Quelquefois le soleil traversant les nuages la forçait à cligner ses paupières, pendant qu'elle regardait les voiles au loin et tout l'horizon, depuis le château de Tancarville jusqu'aux phares du Havre. Ensuite on se reposait sous la tonnelle. Sa mère s'était

procuré un petit fût d'excellent vin de
Malaga; et, riant à l'idée d'être grise, elle
en buvait deux doigts, pas davantage.

Ses forces reparurent. L'automne
s'écoula doucement. Félicité rassurait
Mme Aubain. Mais, un soir qu'elle avait
été aux environs faire une course, elle
rencontra devant la porte le cabriolet de
M. Poupart; et il était dans le vestibule.
Mme Aubain nouait son chapeau.

— « Donnez-moi ma chaufferette, ma
bourse, mes gants; plus vite donc! »

Virginie avait une fluxion de poitrine;
c'était peut-être désespéré.

— « Pas encore! » dit le médecin; et
tous deux montèrent dans la voiture, sous
des flocons de neige qui tourbillonnaient.
La nuit allait venir. Il faisait très froid.

Félicité se précipita dans l'église, pour
allumer un cierge. Puis elle courut après
le cabriolet, qu'elle rejoignit une heure
plus tard, sauta légèrement par-derrière, où
elle se tenait aux torsades, quand une
réflexion lui vint : « La cour n'était pas
fermée! si des voleurs s'introduisaient? »
Et elle descendit.

Le lendemain, dès l'aube, elle se présenta chez le docteur. Il était rentré, et
reparti à la campagne. Puis elle resta dans
l'auberge, croyant que des inconnus
apporteraient une lettre. Enfin, au petit
jour, elle prit la diligence de Lisieux.

Le couvent se trouvait au fond d'une ruelle escarpée. Vers le milieu, elle entendit des sons étranges, un glas de mort. « C'est pour d'autres, » pensa-t-elle; et Félicité tira violemment le marteau.

Au bout de plusieurs minutes, des savates se traînèrent, la porte s'entrebâilla, et une religieuse parut.

La bonne sœur avec un air de componction dit qu' « elle venait de passer ». En même temps, le glas de Saint-Léonard redoublait.

Félicité parvint au second étage.

Dès le seuil de la chambre, elle aperçut Virginie étalée sur le dos, les mains jointes, la bouche ouverte, et la tête en arrière sous une croix noire s'inclinant vers elle, entre les rideaux immobiles, moins pâles que sa figure. Mme Aubain, au pied de la couche qu'elle tenait dans ses bras, poussait des hoquets d'agonie. La supérieure était debout, à droite. Trois chandeliers sur la commode faisaient des taches rouges, et le brouillard blanchissait les fenêtres. Des religieuses emportèrent Mme Aubain.

Pendant deux nuits, Félicité ne quitta pas la morte. Elle répétait les mêmes prières, jetait de l'eau bénite sur les draps, revenait s'asseoir, et la contemplait. A la fin de la première veille, elle remarqua que la figure avait jauni, les lèvres bleuirent, le nez se pinçait, les yeux s'enfonçaient.

Elle les baisa plusieurs fois; et n'eût pas
éprouvé un immense étonnement si Virginie les eût rouverts; pour de pareilles
âmes le surnaturel est tout simple. Elle fit
sa toilette, l'enveloppa de son linceul, la
descendit dans sa bière, lui posa une couronne, étala ses cheveux. Ils étaient blonds,
et extraordinaires de longueur à son âge.
Félicité en coupa une grosse mèche, dont
elle glissa la moitié dans sa poitrine, réso-
lue à ne jamais s'en dessaisir.

Le corps fut ramené à Pont-l'Évêque,
suivant les intentions de Mme Aubain,
qui suivait le corbillard, dans une voiture
fermée.

Après la messe, il fallut encore trois
quarts d'heure pour atteindre le cimetière.
Paul marchait en tête et sanglotait.
M. Bourais était derrière, ensuite les principaux habitants, les femmes, couvertes de
mantes noires, et Félicité. Elle songeait à
son neveu, et, n'ayant pu lui rendre ces
honneurs, avait un surcroît de tristesse,
comme si on l'eût enterré avec l'autre.

Le désespoir de Mme Aubain fut illimité.

D'abord elle se révolta contre Dieu, le
trouvant injuste de lui avoir pris sa fille, —
elle qui n'avait jamais fait de mal, et dont
la conscience était si pure! Mais non! elle
aurait dû l'emporter dans le Midi.
D'autres docteurs l'auraient sauvée! Elle

s'accusait, voulait la rejoindre, criait
en détresse au milieu de ses rêves. Un,
surtout, l'obsédait. Son mari, costumé
comme un matelot, revenait d'un long
voyage, et lui disait en pleurant qu'il avait
reçu l'ordre d'emmener Virginie. Alors
ils se concertaient pour découvrir une
cachette quelque part.

Une fois, elle rentra du jardin, boule-
versée. Tout à l'heure (elle montrait l'endroit) le père et la fille lui étaient apparus
l'un auprès de l'autre, et ils ne faisaient
rien ; ils la regardaient.

Pendant plusieurs mois, elle resta dans
sa chambre, inerte. Félicité la sermonnait
doucement ; il fallait se conserver pour son
fils, et pour l'autre, en souvenir « d'elle ».

— « Elle ? » reprenait Mme Aubain,
comme se réveillant. « Ah ! oui !... oui !...
Vous ne l'oubliez pas ! » Allusion au cimetière, qu'on lui avait scrupuleusement
défendu.

Félicité tous les jours s'y rendait.

A quatre heures précises, elle passait au
bord des maisons, montait la côte, ouvrait la barrière, et arrivait devant la
tombe de Virginie. C'était une petite
colonne de marbre rose, avec une dalle
dans le bas, et des chaînes autour enfermant un jardinet. Les plates-bandes disparaissaient sous une couverture de fleurs.
Elle arrosait leurs feuilles, renouvelait le

sable, se mettait à genoux pour mieux labourer la terre. Mme Aubain, quand elle put y venir, en éprouva un soulagement, une espèce de consolation.

Puis des années s'écoulèrent, toutes pareilles et sans autres épisodes que le retour des grandes fêtes : Pâques, l'Assomption, la Toussaint. Des événements intérieurs faisaient une date, où l'on se reportait plus tard. Ainsi, en 1825, deux vitriers badigeonnèrent le vestibule; en 1827, une portion du toit, tombant dans la cour, faillit tuer un homme. L'été de 1828, ce fut à Madame d'offrir le pain bénit; Bourais, vers cette époque, s'absenta mystérieusement; et les anciennes connaissances peu à peu s'en allèrent : Guyot, Liébard, Mme Lechaptois, Robelin, l'oncle Gremanville, paralysé depuis longtemps.

Une nuit, le conducteur de la malleposte annonça dans Pont-l'Évêque la Révolution de Juillet. Un sous-préfet nouveau, peu de jours après, fut nommé : le baron de Larsonnière, ex-consul en Amérique, et qui avait chez lui, outre sa femme, sa belle-sœur avec trois demoiselles, assez grandes déjà. On les apercevait sur leur gazon, habillées de blouses flottantes; elles possédaient un nègre et un perroquet. Mme Aubain eut leur visite, et ne manqua pas de la rendre. Du plus loin qu'elles paraissaient, Félicité accourait pour la prévenir. Mais une chose était seule capable de l'émouvoir, les lettres de son fils.

Il ne pouvait suivre aucune carrière, étant absorbé dans les estaminets. Elle lui payait ses dettes; il en refaisait d'autres; et les soupirs que poussait Mme Aubain, en tricotant près de la fenêtre, arrivaient à Félicité, qui tournait son rouet dans la cuisine.

Elles se promenaient ensemble le long de l'espalier; et causaient toujours de Virginie, se demandant si telle chose lui aurait plu, en telle occasion ce qu'elle eût dit probablement.

Toutes ses petites affaires occupaient un placard dans la chambre à deux lits. Mme Aubain les inspectait le moins souvent possible. Un jour d'été, elle se résigna; et des papillons s'envolèrent de l'armoire.

Ses robes étaient en ligne sous une planche où il y avait trois poupées, des cerceaux, un ménage, la cuvette qui lui servait. Elles retirèrent également les jupons, les bas, les mouchoirs, et les étendirent sur les deux couches, avant de les replier. Le soleil éclairait ces pauvres objets, en faisait voir les taches, et des plis formés par les mouvements du corps. L'air était chaud et bleu, un merle gazouillait, tout semblait vivre dans une douceur

profonde. Elles retrouvèrent un petit chapeau de peluche, à longs poils, couleur
marron; mais il était tout mangé de vermine. Félicité le réclama pour elle-même.
Leurs yeux se fixèrent l'une sur l'autre,
s'emplirent de larmes; enfin la maîtresse
ouvrit ses bras, la servante s'y jeta; et
elles s'étreignirent, satisfaisant leur douleur dans un baiser qui les égalisait.

C'était la première fois de leur vie,
Mme Aubain n'étant pas d'une nature
expansive. Félicité lui en fut reconnais-
sante comme d'un bienfait, et désormais
la chérit avec un dévouement bestial et
une vénération religieuse.

La bonté de son cœur se développa.

Quand elle entendait dans la rue les
tambours d'un régiment en marche, elle
se mettait devant la porte avec une cruche
de cidre, et offrait à boire aux soldats.
Elle soigna des cholériques. Elle protégeait
les Polonais; et même il y en eut un qui
déclarait la vouloir épouser. Mais ils se
fâchèrent; car un matin, en rentrant de
l'angélus, elle le trouva dans sa cuisine,
où il s'était introduit, et accommodé une
vinaigrette qu'il mangeait tranquillement.

Après les Polonais, ce fut le père Col-
miche, un vieillard passant pour avoir
fait des horreurs en 93. Il vivait au bord de
la rivière, dans les décombres d'une por-
cherie. Les gamins le regardaient par les

fentes du mur, et lui jetaient des cailloux
qui tombaient sur son grabat, où il gisait,
continuellement secoué par un catarrhe,
avec des cheveux très longs, les paupières
enflammées, et au bras une tumeur plus
grosse que sa tête. Elle lui procura du
linge, tâcha de nettoyer son bouge, rêvait
à l'établir dans le fournil, sans qu'il gênât
Madame. Quand le cancer eut crevé, elle
le pansa tous les jours, quelquefois lui
apportait de la galette, le plaçait au soleil
sur une botte de paille; et le pauvre vieux,
en bavant et en tremblant, la remerciait
de sa voix éteinte, craignait de la perdre,
allongeait les mains dès qu'il la voyait
s'éloigner. Il mourut; elle fit dire une
messe pour le repos de son âme.

Ce jour-là, il lui advint un grand bonheur : au moment du dîner, le nègre de
Mme de Larsonnière se présenta, tenant
le perroquet dans sa cage, avec le bâton,
la chaîne et le cadenas. Un billet de la
baronne annonçait à Mme Aubain que,
son mari étant élevé à une préfecture, ils
partaient le soir; et elle la priait d'accepter
cet oiseau, comme un souvenir, et en
témoignage de ses respects.

Il occupait depuis longtemps l'imagination de Félicité, car il venait d'Amérique, et ce mot lui rappelait Victor, si
bien qu'elle s'en informait auprès du nègre.
Une fois même elle avait dit : — « C'est

Madame qui serait heureuse de l'avoir! »

Le nègre avait redit le propos à sa maîtresse, qui, ne pouvant l'emmener, s'en débarrassait de cette façon.

IV

Il s'appelait Loulou. Son corps était vert, le bout de ses ailes rose, son front bleu, et sa gorge dorée.

Mais il avait la fatigante manie de mordre son bâton, s'arrachait les plumes, éparpillait ses ordures, répandait l'eau de sa baignoire; Mme Aubain, qu'il ennuyait, le donna pour toujours à Félicité.

Elle entreprit de l'instruire; bientôt il répéta : « Charmant garçon! Serviteur, monsieur! Je vous salue, Marie! » Il était placé auprès de la porte, et plusieurs s'étonnaient qu'il ne répondît pas au nom de Jacquot, puisque tous les perroquets s'appellent Jacquot. On le comparait à une dinde, à une bûche : autant de coups de poignard pour Félicité! Étrange obstination de Loulou, ne parlant plus du moment qu'on le regardait!

Néanmoins il recherchait la compagnie; car le dimanche, pendant que ces demoiselles Rochefeuille, M. de Houppeville et de nouveaux habitués : Onfroy l'apothicaire, M. Varin et le capitaine Mathieu, faisaient leur partie de cartes, il cognait les vitres avec ses ailes, et se démenait si furieusement qu'il était impossible de s'entendre.

La figure de Bourais, sans doute, lui paraissait très drôle. Dès qu'il l'apercevait, il commençait à rire, à rire de toutes ses forces. Les éclats de sa voix bondissaient dans la cour, l'écho les répétait, les voisins se mettaient à leurs fenêtres, riaient aussi ; et, pour n'être pas vu du perroquet, M. Bourais se coulait le long du mur, en dissimulant son profil avec son chapeau, atteignait la rivière, puis entrait par la porte du jardin ; et les regards qu'il envoyait à l'oiseau manquaient de tendresse.

Loulou avait reçu du garçon boucher une chiquenaude, s'étant permis d'enfoncer la tête dans sa corbeille ; et depuis lors il tâchait toujours de le pincer à travers sa chemise. Fabu menaçait de lui tordre le cou, bien qu'il ne fût pas cruel, malgré le tatouage de ses bras et ses gros favoris. Au contraire ! il avait plutôt du penchant pour le perroquet, jusqu'à vouloir, par humeur joviale, lui apprendre des jurons. Félicité, que ces manières effrayaient, le plaça dans la cuisine. Sa

chaînette fut retirée, et il circulait par la
maison.

Quand il descendait l'escalier, il appuyait sur les marches la courbe de son
bec, levait la patte droite, puis la gauche;
et elle avait peur qu'une telle gymnas-
tique ne lui causât des étourdissements.
Il devint malade, ne pouvait plus parler
ni manger. C'était sous sa langue une
épaisseur, comme en ont les poules quelquefois. Elle le guérit, en arrachant cette
pellicule avec ses ongles. M. Paul, un
jour, eut l'imprudence de lui souffler aux
narines la fumée d'un cigare; une autre
fois que Mme Lormeau l'agaçait du bout
de son ombrelle, il en happa la virole;
enfin, il se perdit.

Elle l'avait posé sur l'herbe pour le
rafraîchir, s'absenta une minute; et, quand
elle revint, plus de perroquet! D'abord elle
le chercha dans les buissons, au bord de
l'eau et sur les toits, sans écouter sa maîtresse qui lui criait : — « Prenez donc
garde! vous êtes folle! » Ensuite elle ins-
pecta tous les jardins de Pont-l'Évêque;
et elle arrêtait les passants. — « Vous
n'auriez pas vu, quelquefois, par hasard,
mon perroquet? » A ceux qui ne connais-
saient pas le perroquet, elle en faisait la
description. Tout à coup, elle crut distinguer derrière les moulins, au bas de la
côte, une chose verte qui voltigeait. Mais

au haut de la côte, rien! Un porte-balle
lui affirma qu'il l'avait rencontré tout à
l'heure, à Saint-Melaine, dans la boutique de la mère Simon. Elle y courut.
On ne savait pas ce qu'elle voulait dire.
Enfin elle rentra, épuisée, les savates en
lambeaux, la mort dans l'âme; et, assise
au milieu du banc, près de Madame, elle
racontait toutes ses démarches, quand un
poids léger lui tomba sur l'épaule, Loulou! Que diable avait-il fait? Peut-être
qu'il s'était promené aux environs!

Elle eut du mal à s'en remettre, ou
plutôt ne s'en remit jamais.

Par suite d'un refroidissement, il lui
vint une angine; peu de temps après, un
mal d'oreilles. Trois ans plus tard, elle
était sourde; et elle parlait très haut, même
à l'église. Bien que ses péchés auraient
pu sans déshonneur pour elle, ni incon-
vénient pour le monde, se répandre à tous
les coins du diocèse, M. le curé jugea
convenable de ne plus recevoir sa confes-
sion que dans la sacristie.

Des bourdonnements illusoires ache-
vaient de la troubler. Souvent sa maîtresse lui disait : — « Mon Dieu! comme
vous êtes bête! »; elle répliquait : —
« Oui, Madame, » en cherchant quelque
chose autour d'elle.

Le petit cercle de ses idées se rétrécit
encore, et le carillon des cloches, le mu-

gissement des bœufs n'existaient plus.
Tous les êtres fonctionnaient avec le
silence des fantômes. Un seul bruit arrivait maintenant à ses oreilles, la voix du
perroquet.

Comme pour la distraire, il reprodui-
sait le tic-tac du tournebroche, l'appel
aigu d'un vendeur de poisson, la scie du
menuisier qui logeait en face; et, aux
coups de la sonnette, imitait Mme Aubain,
— « Félicité! la porte! la porte! »

Ils avaient des dialogues, lui, débitant
à satiété les trois phrases de son répertoire,
et elle, y répondant par des mots sans plus
de suite, mais où son cœur s'épanchait.
Loulou, dans son isolement, était presque
un fils, un amoureux. Il escaladait ses
doigts, mordillait ses lèvres, se crampon-
nait à son fichu; et, comme elle penchait
son front en branlant la tête à la manière
des nourrices, les grandes ailes du bonnet et les ailes de l'oiseau frémissaient
ensemble.

Quand des nuages s'amoncelaient et
que le tonnerre grondait, il poussait des
cris, se rappelant peut-être les ondées de
ses forêts natales. Le ruissellement de
l'eau excitait son délire; il voletait éperdu,
montait au plafond, renversait tout, et
par la fenêtre allait barboter dans le jardin; mais revenait vite sur un des chenets,
et, sautillant pour sécher ses plumes,

montrait tantôt sa queue, tantôt son bec.

Un matin du terrible hiver de 1837, qu'elle l'avait mis devant la cheminée, à cause du froid, elle le trouva mort, au milieu de sa cage, la tête en bas, et les ongles dans les fils de fer. Une congestion l'avait tué, sans doute? Elle crut à un empoisonnement par le persil; et, malgré l'absence de toutes preuves, ses soupçons portèrent sur Fabu.

Elle pleura tellement que sa maîtresse lui dit : — « Eh bien! faites-le empailler! »

Elle demanda conseil au pharmacien, qui avait toujours été bon pour le perroquet.

Il écrivit au Havre. Un certain Fellacher se chargea de cette besogne. Mais, comme la diligence égarait parfois les colis, elle résolut de le porter elle-même jusqu'à Honfleur.

Les pommiers sans feuilles se succédaient aux bords de la route. De la glace couvrait les fossés. Des chiens aboyaient autour des fermes; et les mains sous son mantelet, avec ses petits sabots noirs et son cabas, elle marchait prestement, sur le milieu du pavé.

Elle traversa la forêt, dépassa le Haut-Chêne, atteignit Saint-Gatien.

Derrière elle, dans un nuage de poussière et emportée par la descente, une malle-poste au grand galop se précipitait

comme une trombe. En voyant cette
femme qui ne se dérangeait pas, le conducteur se dressa par-dessus la capote, et le
postillon criait aussi, pendant que ses
quatre chevaux, qu'il ne pouvait retenir,
accéléraient leur train; les deux premiers
la frôlaient; d'une secousse de ses guides,
il les jeta dans le débord, mais furieux
releva le bras, et à pleine volée, avec son
grand fouet, lui cingla du ventre au chi-
gnon un tel coup qu'elle tomba sur le
dos.

Son premier geste, quand elle reprit
connaissance, fut d'ouvrir son panier.
Loulou n'avait rien, heureusement. Elle
sentit une brûlure à la joue droite; ses
mains qu'elle y porta étaient rouges. Le
sang coulait.

Elle s'assit sur un mètre de cailloux, se
tamponna le visage avec son mouchoir,
puis elle mangea une croûte de pain,
mise dans son panier par précaution, et
se consolait de sa blessure en regardant
l'oiseau.

Arrivée au sommet d'Ecquemauville,
elle aperçut les lumières de Honfleur qui
scintillaient dans la nuit comme une quantité d'étoiles; la mer, plus loin, s'étalait
confusément. Alors une faiblesse l'arrêta;
et la misère de son enfance, la déception
du premier amour, le départ de son neveu,
la mort de Virginie, comme les flots d'une

marée, revinrent à la fois, et, lui montant à la gorge, l'étouffaient.

Puis elle voulut parler au capitaine du bateau; et, sans dire ce qu'elle envoyait, lui fit des recommandations.

Fellacher garda longtemps le perroquet. Il le promettait toujours pour la semaine prochaine; au bout de six mois, il annonça le départ d'une caisse; et il n'en fut plus question. C'était à croire que jamais Loulou ne reviendrait. « Ils me l'auront volé! » pensait-elle.

Enfin il arriva, — et splendide, droit sur une branche d'arbre, qui se vissait dans un socle d'acajou, une patte en l'air, la tête oblique, et mordant une noix, que l'empailleur par amour du grandiose avait dorée.

Elle l'enferma dans sa chambre.

Cet endroit, où elle admettait peu de monde, avait l'air tout à la fois d'une chapelle et d'un bazar, tant il contenait d'objets religieux et de choses hétéroclites.

Une grande armoire gênait pour ouvrir la porte. En face de la fenêtre surplombant le jardin, un œil-de-bœuf regardait la cour; une table, près du lit de sangle, supportait un pot à l'eau, deux peignes, et un cube de savon bleu dans une assiette ébréchée. On voyait contre les murs : des chapelets, des médailles, plusieurs bonnes

Vierges, un bénitier en noix de coco; sur
la commode, couverte d'un drap comme
un autel, la boîte en coquillages que lui
avait donnée Victor; puis un arrosoir et
un ballon, des cahiers d'écriture, la géographie en estampes, une paire de bottines; et au clou du miroir, accroché par
ses rubans, le petit chapeau de peluche!
Félicité poussait même ce genre de respect
si loin qu'elle conservait une des redin-
gotes de Monsieur. Toutes les vieilleries
dont ne voulait plus Mme Aubain, elle
les prenait pour sa chambre. C'est ainsi
qu'il y avait des fleurs artificielles au bord
de la commode, et le portrait du comte
d'Artois dans l'enfoncement de la lucarne.

Au moyen d'une planchette, Loulou
fut établi sur un corps de cheminée qui
avançait dans l'appartement. Chaque
matin, en s'éveillant, elle l'apercevait à
la clarté de l'aube, et se rappelait alors
les jours disparus, et d'insignifiantes ac-
tions jusqu'en leurs moindres détails,
sans douleur, pleine de tranquillité.

Ne communiquant avec personne, elle
vivait dans une torpeur de somnambule.
Les processions de la Fête-Dieu la rani-
maient. Elle allait quêter chez les voisines
des flambeaux et des paillassons, afin
d'embellir le reposoir que l'on dressait
dans la rue.

A l'église, elle contemplait toujours le

Saint-Esprit, et observa qu'il avait quelque chose du perroquet. Sa ressemblance lui parut encore plus manifeste sur une image d'Épinal, représentant le baptême de Notre-Seigneur. Avec ses ailes de pourpre et son corps d'émeraude, c'était vraiment le portrait de Loulou.

L'ayant acheté, elle le suspendit à la place du comte d'Artois, — de sorte que, du même coup d'œil, elle les voyait ensemble. Ils s'associèrent dans sa pensée, le perroquet se trouvant sanctifié par ce rapport avec le Saint-Esprit, qui devenait plus vivant à ses yeux et intelligible. Le Père, pour s'énoncer, n'avait pu choisir une colombe, puisque ces bêtes-là n'ont pas de voix, mais plutôt un des ancêtres de Loulou. Et Félicité priait en regardant l'image, mais de temps à autre se tournait un peu vers l'oiseau.

Elle eut envie de se mettre dans les demoiselles de la Vierge. Mme Aubain l'en dissuada.

Un événement considérable surgit : le mariage de Paul.

Après avoir été d'abord clerc de notaire, puis dans le commerce, dans la douane, dans les contributions, et même avoir commencé des démarches pour les eaux et forêts, à trente-six ans, tout à coup, par une inspiration du ciel, il avait découvert sa voie : l'enregistrement! et y mon-

trait de si hautes facultés qu'un vérifi-
cateur lui avait offert sa fille, en lui pro-
mettant sa protection.

Paul, devenu sérieux, l'amena chez sa
mère.

Elle dénigra les usages de Pont-l'Évêque,
fit la princesse, blessa Félicité. Mme Aubain, à son départ, sentit un allégement.

La semaine suivante, on apprit la mort
de M. Bourais, en basse Bretagne, dans
une auberge. La rumeur d'un suicide se
confirma; des doutes s'élevèrent sur sa
probité. Mme Aubain étudia ses comptes,
et ne tarda pas à connaître la kyrielle
de ses noirceurs : détournements d'arré-
rages, ventes de bois dissimulées, fausses
quittances, etc. De plus, il avait un enfant
naturel, et « des relations avec une personne de Dozulé ».

Ces turpitudes l'affligèrent beaucoup.
Au mois de mars 1853, elle fut prise d'une
douleur dans la poitrine; sa langue paraissait couverte de fumée, les sangsues ne calmèrent pas l'oppression; et le neuvième
soir elle expira, ayant juste soixante-
douze ans.

On la croyait moins vieille, à cause de
ses cheveux bruns, dont les bandeaux
entouraient sa figure blême, marquée de
petite vérole. Peu d'amis la regrettèrent, ses
façons étant d'une hauteur qui éloignait.

Félicité la pleura, comme on ne pleure

pas les maîtres. Que Madame mourût avant elle, cela troublait ses idées, lui semblait contraire à l'ordre des choses, inadmissible et monstrueux.

Dix jours après (le temps d'accourir de Besançon), les héritiers survinrent. La bru fouilla les tiroirs, choisit des meubles, vendit les autres, puis ils regagnèrent l'enregistrement.

Le fauteuil de Madame, son guéridon, sa chaufferette, les huit chaises, étaient partis! La place des gravures se dessinait en carrés jaunes au milieu des cloisons. Ils avaient emporté les deux couchettes, avec leurs matelas, et dans le placard on ne voyait plus rien de toutes les affaires de Virginie! Félicité remonta les étages, ivre de tristesse.

Le lendemain il y avait sur la porte une affiche; l'apothicaire lui cria dans l'oreille que la maison était à vendre.

Elle chancela, et fut obligée de s'asseoir.

Ce qui la désolait principalement, c'était d'abandonner sa chambre, — si commode pour le pauvre Loulou. En l'enveloppant d'un regard d'angoisse, elle implorait le Saint-Esprit, et contracta l'habitude idolâtre de dire ses oraisons agenouillée devant le perroquet. Quelquefois, le soleil entrant par la lucarne frappait son œil de verre, et en faisait jaillir un grand rayon lumineux qui la mettait en extase.

Elle avait une rente de trois cent quatre-vingts francs, léguée par sa maîtresse. Le jardin lui fournissait des légumes. Quant aux habits, elle possédait de quoi se vêtir jusqu'à la fin de ses jours, et épargnait l'éclairage en se couchant dès le crépuscule.

Elle ne sortait guère, afin d'éviter la boutique du brocanteur, où s'étalaient quelques-uns des anciens meubles. Depuis son étourdissement, elle traînait une jambe; et, ses forces diminuant, la mère Simon, ruinée dans l'épicerie, venait tous les matins fendre son bois et pomper de l'eau.

Ses yeux s'affaiblirent. Les persiennes n'ouvraient plus. Bien des années se passèrent. Et la maison ne se louait pas, et ne se vendait pas.

Dans la crainte qu'on ne la renvoyât, Félicité ne demandait aucune réparation. Les lattes du toit pourrissaient; pendant tout un hiver son traversin fut mouillé. Après Pâques, elle cracha du sang.

Alors la mère Simon eut recours à un docteur. Félicité voulut savoir ce qu'elle avait. Mais, trop sourde pour entendre, un seul mot lui parvint : « Pneumonie. » Il lui était connu, et elle répliqua doucement : — « Ah! comme Madame », trouvant naturel de suivre sa maîtresse.

Le moment des reposoirs approchait.

Le premier était toujours au bas de la côte, le second devant la poste, le troisième vers le milieu de la rue. Il y eut des rivalités à propos de celui-là ; et les paroissiennes choisirent finalement la cour de Mme Aubain.

Les oppressions et la fièvre augmentaient. Félicité se chagrinait de ne rien faire pour le reposoir. Au moins, si elle avait pu y mettre quelque chose ! Alors elle songea au perroquet. Ce n'était pas convenable, objectèrent les voisines. Mais le curé accorda cette permission ; elle en fut tellement heureuse qu'elle le pria d'accepter, quand elle serait morte, Loulou, sa seule richesse.

Du mardi au samedi, veille de la Fête-Dieu, elle toussa plus fréquemment. Le soir son visage était grippé, ses lèvres se collaient à ses gencives, des vomissements parurent ; et le lendemain, au petit jour, se sentant très bas, elle fit appeler un prêtre.

Trois bonnes femmes l'entouraient pendant l'extrême-onction. Puis elle déclara qu'elle avait besoin de parler à Fabu.

Il arriva en toilette des dimanches, mal à son aise dans cette atmosphère lugubre.

— « Pardonnez-moi », dit-elle avec un effort pour étendre le bras, « je croyais que c'était vous qui l'aviez tué ! »

Que signifiaient des potins pareils ?

L'avoir soupçonné d'un meurtre, un
homme comme lui! et il s'indignait, allait
faire du tapage. — « Elle n'a plus sa tête,
vous voyez bien! »

Félicité de temps à autre parlait à des
ombres. Les bonnes femmes s'éloignèrent.
La Simonne déjeuna.

Un peu plus tard, elle prit Loulou, et,
l'approchant de Félicité :

— « Allons! dites-lui adieu! »

Bien qu'il ne fût pas un cadavre, les
vers le dévoraient; une de ses ailes était
cassée, l'étoupe lui sortait du ventre. Mais,
aveugle à présent, elle le baisa au front, et
le gardait contre sa joue. La Simonne le
reprit, pour le mettre sur le reposoir.

V

Les herbages envoyaient l'odeur de
l'été; des mouches bourdonnaient; le
soleil faisait luire la rivière, chauffait les
ardoises. La mère Simon, revenue dans la
chambre, s'endormait doucement.

Des coups de cloche la réveillèrent; on
sortait des vêpres. Le délire de Félicité
tomba. En songeant à la procession, elle
la voyait, comme si elle l'eût suivie.

Tous les enfants des écoles, les chantres

et les pompiers marchaient sur les trot-
toirs, tandis qu'au milieu de la rue s'avançaient premièrement : le suisse armé de
sa hallebarde, le bedeau avec une grande
croix, l'instituteur surveillant les gamins,
la religieuse inquiète de ses petites filles;
trois des plus mignonnes, frisées comme
des anges, jetaient dans l'air des pétales de
roses; le diacre, les bras écartés, modérait
la musique; et deux encenseurs se retour-
naient à chaque pas vers le Saint-Sacre-
ment, que portait, sous un dais de velours
ponceau tenu par quatre fabriciens, M. le
curé, dans sa belle chasuble. Un flot de
monde se poussait derrière, entre les
nappes blanches couvrant le mur des
maisons; et l'on arriva au bas de la côte.

Une sueur froide mouillait les tempes de
Félicité. La Simonne l'épongeait avec un
linge, en se disant qu'un jour il lui faudrait
passer par là.

Le murmure de la foule grossit, fut un
moment très fort, s'éloignait.

Une fusillade ébranla les carreaux.
C'étaient les postillons saluant l'ostensoir.
Félicité roula ses prunelles, et elle dit, le
moins bas qu'elle put :

— « Est-il bien ? » tourmentée du perroquet.

Son agonie commença. Un râle, de plus
en plus précipité, lui soulevait les côtes.
Des bouillons d'écume venaient aux coins

de sa bouche, et tout son corps tremblait.

Bientôt, on distingua le ronflement des ophicléides, les voix claires des enfants, la voix profonde des hommes. Tout se taisait par intervalles, et le battement des pas, que des fleurs amortissaient, faisait le bruit d'un troupeau sur du gazon.

Le clergé parut dans la cour. La Simonne grimpa sur une chaise pour atteindre à l'œil-de-bœuf, et de cette manière dominait le reposoir.

Des guirlandes vertes pendaient sur l'autel, orné d'un falbala en point d'Angleterre. Il y avait au milieu un petit cadre enfermant des reliques, deux orangers dans les angles, et, tout le long, des flambeaux d'argent et des vases en porcelaine, d'où s'élançaient des tournesols, des lis, des pivoines, des digitales, des touffes d'hortensias. Ce monceau de couleurs éclatantes descendait obliquement, du premier étage jusqu'au tapis se prolongeant sur les pavés; et des choses rares tiraient les yeux. Un sucrier de vermeil avait une couronne de violettes, des pendeloques en pierres d'Alençon brillaient sur de la mousse, deux écrans chinois montraient leurs paysages. Loulou, caché sous des roses, ne laissait voir que son front bleu, pareil à une plaque de lapis.

Les fabriciens, les chantres, les enfants se rangèrent sur les trois côtés de la cour.

Le prêtre gravit lentement les marches, et posa sur la dentelle son grand soleil d'or qui rayonnait. Tous s'agenouillèrent. Il se fit un grand silence. Et les encensoirs, allant à pleine volée, glissaient sur leurs chaînettes.

Une vapeur d'azur monta dans la chambre de Félicité. Elle avança les narines, en la humant avec une sensualité mystique; puis ferma les paupières. Ses lèvres souriaient. Les mouvements de son cœur se ralentirent un à un, plus vagues chaque fois, plus doux, comme une fontaine s'épuise, comme un écho disparaît; et, quand elle exhala son dernier souffle, elle crut voir, dans les cieux entrouverts, un perroquet gigantesque, planant au-dessus de sa tête.

LA LÉGENDE
DE
SAINT JULIEN L'HOSPITALIER

I

Le père et la mère de Julien habitaient un château, au milieu des bois, sur la pente d'une colline.

Les quatre tours aux angles avaient des toits pointus recouverts d'écailles de plomb, et la base des murs s'appuyait sur les quartiers de rocs, qui dévalaient abruptement jusqu'au fond des douves.

Les pavés de la cour étaient nets comme le dallage d'une église. De longues gouttières, figurant des dragons la gueule en bas, crachaient l'eau des pluies vers la citerne; et sur le bord des fenêtres, à tous les étages, dans un pot d'argile peinte, un basilic ou un héliotrope s'épanouissait.

Une seconde enceinte, faite de pieux, comprenait d'abord un verger d'arbres à fruits, ensuite un parterre où des combinaisons de fleurs dessinaient des chiffres, puis une treille avec des berceaux pour prendre le frais, et un jeu de mail qui servait au divertissement des pages. De l'autre côté se trouvaient le chenil, les écuries, la boulangerie, le pressoir et les granges. Un pâturage de gazon vert se développait tout autour, enclos lui-même d'une forte haie d'épines.

On vivait en paix depuis si longtemps que la herse ne s'abaissait plus; les fossés étaient pleins d'eau; des hirondelles faisaient leur nid dans la fente des créneaux; et l'archer, qui tout le long du jour se promenait sur la courtine, dès que le soleil brillait trop fort rentrait dans l'échauguette, et s'endormait comme un moine.

A l'intérieur, les ferrures partout reluisaient; des tapisseries dans les chambres protégeaient du froid; et les armoires regorgeaient de linge, les tonnes de vin s'empilaient dans les celliers, les coffres de chêne craquaient sous le poids des sacs d'argent.

On voyait dans la salle d'armes, entre des étendards et des mufles de bêtes fauves, des armes de tous les temps et de toutes les nations, depuis les frondes des Amalécites et les javelots des Garamantes jusqu'aux braquemarts des Sarrasins et aux cottes de mailles des Normands.

La maîtresse broche de la cuisine pouvait faire tourner un bœuf; la chapelle était somptueuse comme l'oratoire d'un roi. Il y avait même, dans un endroit écarté, une étuve à la romaine; mais le bon seigneur s'en privait, estimant que c'est un usage des idolâtres.

Toujours enveloppé d'une pelisse de renard, il se promenait dans sa maison, rendait la justice à ses vassaux, apaisait les querelles de ses voisins. Pendant l'hiver, il regardait les flocons de neige tomber, ou se faisait lire des histoires. Dès les premiers beaux jours, il s'en allait sur sa mule le long des petits chemins, au bord des blés qui verdoyaient, et causait avec les manants, auxquels il donnait des conseils. Après beaucoup d'aventures, il avait pris pour femme une demoiselle de haut lignage.

Elle était très blanche, un peu fière et sérieuse. Les cornes de son hennin frôlaient le linteau des portes; la queue de sa robe de drap traînait de trois pas derrière elle. Son domestique était réglé comme l'intérieur d'un monastère; chaque matin elle distribuait la besogne à ses servantes, surveillait les confitures et les onguents, filait à la quenouille ou brodait des nappes d'autel. A force de prier Dieu, il lui vint un fils.

Alors il y eut de grandes réjouissances, et un repas qui dura trois jours et quatre nuits, dans l'illumination des flambeaux, au son des harpes, sur des jonchées de feuillages. On y mangea les plus rares épices, avec des poules grosses comme des moutons; par divertissement, un nain sortit d'un pâté; et, les écuelles ne suffisant plus, car la foule augmentait toujours, on fut obligé de boire dans les oliphants et dans les casques.

La nouvelle accouchée n'assista pas à ces fêtes. Elle se tenait dans son lit, tranquillement. Un soir, elle se réveilla, et elle aperçut, sous un rayon de la lune qui entrait par la fenêtre, comme une ombre mouvante. C'était un vieillard en froc de bure, avec un chapelet au côté, une besace sur l'épaule, toute l'apparence d'un ermite. Il s'approcha de son chevet et lui dit, sans desserrer les lèvres :

— « Réjouis-toi, ô mère! ton fils sera un saint! »

Elle allait crier; mais, glissant sur le rais de la lune, il s'éleva dans l'air doucement, puis disparut. Les chants du banquet éclatèrent plus fort. Elle entendit les voix des anges; et sa tête retomba sur l'oreiller, que dominait un os de martyr dans un cadre d'escarboucles.

Le lendemain, tous les serviteurs interrogés déclarèrent qu'ils n'avaient pas vu d'ermite. Songe ou réalité, cela devait être une communication du ciel; mais elle eut soin de n'en rien dire, ayant peur qu'on ne l'accusât d'orgueil.

Les convives s'en allèrent au petit jour; et le père de Julien se trouvait en dehors de la poterne, où il venait de reconduire le dernier, quand tout à coup un mendiant se dressa devant lui, dans le brouillard. C'était un Bohême à barbe tressée, avec des anneaux d'argent aux deux bras et les prunelles flamboyantes. Il bégaya d'un air inspiré ces mots sans suite :

— « Ah ! ah ! ton fils !... beaucoup de sang !... beaucoup de gloire !... toujours heureux ! la famille d'un empereur. »

Et, se baissant pour ramasser son aumône, il se perdit dans l'herbe, s'évanouit.

Le bon châtelain regarda de droite et de gauche, appela tant qu'il put. Personne ! Le vent sifflait, les brumes du matin s'envolaient.

Il attribua cette vision à la fatigue de sa tête pour avoir trop peu dormi. « Si j'en parle, on se moquera de moi », se dit-il. Cependant les splendeurs destinées à son fils l'éblouissaient, bien que la promesse n'en fût pas claire et qu'il doutât même de l'avoir entendue.

Les époux se cachèrent leur secret. Mais tous deux chérissaient l'enfant d'un pareil amour ; et, le respectant comme marqué de Dieu, ils eurent pour sa personne des égards infinis. Sa couchette était rembourrée du plus fin duvet ; une lampe en forme de colombe brûlait dessus, continuellement ; trois nourrices le berçaient ;

et, bien serré dans ses langes, la mine rose et les yeux bleus, avec son manteau de brocart et son béguin chargé de perles, il ressemblait à un petit Jésus. Les dents lui poussèrent sans qu'il pleurât une seule fois.

Quand il eut sept ans, sa mère lui apprit à chanter. Pour le rendre courageux, son père le hissa sur un gros cheval. L'enfant souriait d'aise, et ne tarda pas à savoir tout ce qui concerne les destriers.

Un vieux moine très savant lui enseigna l'Écriture sainte, la numération des Arabes, les lettres latines, et à faire sur le vélin des peintures mignonnes. Ils travaillaient ensemble, tout en haut d'une tourelle, à l'écart du bruit.

La leçon terminée, ils descendaient dans le jardin, où, se promenant pas à pas, ils étudiaient les fleurs.

Quelquefois on apercevait, cheminant au fond de la vallée, une file de bêtes de somme, conduites par un piéton, accoutré à l'orientale. Le châtelain, qui l'avait reconnu pour un marchand, expédiait vers lui un valet. L'étranger, prenant confiance, se détournait de sa route; et, introduit dans le parloir, il retirait de ses coffres des pièces de velours et de soie, des orfèvreries, des aromates, des choses singulières d'un usage inconnu; à la fin le bonhomme s'en allait, avec un gros profit, sans avoir enduré aucune violence. D'autres fois, une troupe de pèlerins frappait à la porte. Leurs habits mouillés fumaient devant l'âtre; et, quand ils étaient repus, ils racontaient leurs voyages : les erreurs des nefs sur la mer écumeuse, les marches à pied dans les sables brûlants, la férocité des païens, les cavernes de la Syrie, la Crèche et le Sépulcre. Puis ils donnaient au jeune seigneur des coquilles de leur manteau.

Souvent le châtelain festoyait ses vieux compagnons d'armes. Tout en buvant, ils se rappelaient leurs guerres, les assauts des forteresses avec le battement des machines et les prodigieuses blessures. Julien, qui les écoutait, en poussait des cris; alors son père ne doutait pas qu'il ne fût plus tard un conquérant. Mais le soir, au sortir de l'angélus, quand il passait entre les pauvres inclinés, il puisait dans son escarcelle avec tant de modestie et d'un air si noble que sa mère comptait bien le voir par la suite archevêque.

Sa place dans la chapelle était aux côtés de ses parents; et, si longs que fussent les offices, il restait à genoux sur son prie-Dieu, la toque par terre et les mains jointes.

Un jour, pendant la messe, il aperçut, en relevant la tête, une petite souris blanche qui sortait d'un trou, dans la

muraille. Elle trottina sur la première
marche de l'autel, et, après deux ou trois
tours de droite et de gauche, s'enfuit du
même côté. Le dimanche suivant, l'idée
qu'il pourrait la revoir le troubla. Elle
revint; et chaque dimanche il l'attendait,
en était importuné, fut pris de haine contre
elle, et résolut de s'en défaire.

Ayant donc fermé la porte, et semé
sur les marches les miettes d'un gâteau,
il se posta devant le trou, une baguette
à la main.

Au bout de très longtemps un museau
rose parut, puis la souris tout entière. Il
frappa un coup léger, et demeura stupéfait devant ce petit corps qui ne bougeait
plus. Une goutte de sang tachait la dalle.
Il l'essuya bien vite avec sa manche, jeta
la souris dehors, et n'en dit rien à personne.

Toutes sortes d'oisillons picoraient les
graines du jardin. Il imagina de mettre des
pois dans un roseau creux. Quand il entendait gazouiller dans un arbre, il en approchait avec douceur, puis levait son tube,
enflait ses joues, et les bestioles lui pleu-
vaient sur les épaules si abondamment
qu'il ne pouvait s'empêcher de rire, heureux de sa malice.

Un matin, comme il s'en retournait par
la courtine, il vit sur la crête du rempart
un gros pigeon qui se rengorgeait au

soleil. Julien s'arrêta pour le regarder; le mur en cet endroit ayant une brèche, un éclat de pierre se rencontra sous ses doigts. Il tourna son bras, et la pierre abattit l'oiseau qui tomba d'un bloc dans le fossé.

Il se précipita vers le fond, se déchirant aux broussailles, furetant partout, plus leste qu'un jeune chien.

Le pigeon, les ailes cassées, palpitait, suspendu dans les branches d'un troène.

La persistance de sa vie irrita l'enfant. Il se mit à l'étrangler; et les convulsions de l'oiseau faisaient battre son cœur, l'emplissaient d'une volupté sauvage et tumultueuse. Au dernier raidissement, il se sentit défaillir.

Le soir, pendant le souper, son père déclara que l'on devait à son âge apprendre la vénerie; et il alla chercher un vieux cahier d'écriture contenant, par demandes et réponses, tout le déduit des chasses. Un maître y démontrait à son élève l'art de dresser les chiens et d'affaîter les faucons, de tendre les pièges, comment reconnaître le cerf à ses fumées, le renard à ses empreintes, le loup à ses déchaussures, le bon moyen de discerner leurs voies, de quelle manière on les lance, où se trouvent ordinairement leurs refuges, quels sont les vents les plus propices, avec l'énumération des cris et les règles de la curée.

Quand Julien put réciter par cœur
toutes ces choses, son père lui composa
une meute.

D'abord on y distinguait vingt-quatre
lévriers barbaresques, plus véloces que
des gazelles, mais sujets à s'emporter;
puis dix-sept couples de chiens bretons,
tiquetés de blanc sur fond rouge, inébran-
lables dans leur créance, forts de poitrine
et grands hurleurs. Pour l'attaque du sanglier et les refuites périlleuses, il y avait
quarante griffons, poilus comme des ours.
Des mâtins de Tartarie, presque aussi
hauts que des ânes, couleur de feu,
l'échine large et le jarret droit, étaient
destinés à poursuivre les aurochs. La robe
noire des épagneuls luisait comme du
satin; le jappement des talbots valait celui
des bigles chanteurs. Dans une cour à
part, grondaient, en secouant leur chaîne
et roulant leurs prunelles, huit dogues
alains, bêtes formidables qui sautent au
ventre des cavaliers et n'ont pas peur des
lions.

Tous mangeaient du pain de froment,
buvaient dans des auges de pierre, et portaient un nom sonore.

La fauconnerie, peut-être, dépassait la
meute; le bon seigneur, à force d'argent,
s'était procuré des tiercelets du Caucase,
des sacres de Babylone, des gerfauts
d'Allemagne, et des faucons-pèlerins, cap-

turés sur les falaises, au bord des mers froides, en de lointains pays. Ils logeaient dans un hangar couvert de chaume, et, attachés par rang de taille sur le perchoir, avaient devant eux une motte de gazon, où de temps à autre on les posait afin de les dégourdir.

Des bourses, des hameçons, des chausse-trapes, toute sorte d'engins, furent confectionnés.

Souvent on menait dans la campagne des chiens d'oysel, qui tombaient bien vite en arrêt. Alors des piqueurs, s'avançant pas à pas, étendaient avec précaution sur leurs corps impassibles un immense filet. Un commandement les faisait aboyer; des cailles s'envolaient; et les dames des alentours conviées avec leurs maris, les enfants, les camérières, tout le monde se jetait dessus, et les prenait facilement.

D'autres fois, pour débûcher les lièvres, on battait du tambour; des renards tombaient dans des fosses, ou bien un ressort, se débandant, attrapait un loup par le pied.

Mais Julien méprisa ces commodes artifices; il préférait chasser loin du monde, avec son cheval et son faucon. C'était presque toujours un grand tartaret de Scythie, blanc comme la neige. Son capuchon de cuir était surmonté d'un panache, des grelots d'or tremblaient à ses pieds

bleus : et il se tenait ferme sur le bras de
son maître pendant que le cheval galopait,
et que les plaines se déroulaient. Julien,
dénouant ses longes, le lâchait tout à
coup; la bête hardie montait droit dans
l'air comme une flèche; et l'on voyait
deux taches inégales tourner, se joindre,
puis disparaître dans les hauteurs de
l'azur. Le faucon ne tardait pas à descendre en déchirant quelque oiseau, et
revenait se poser sur le gantelet, les deux
ailes frémissantes.

Julien vola de cette manière le héron, le
milan, la corneille et le vautour.

Il aimait, en sonnant de la trompe, à
suivre ses chiens qui couraient sur le ver-
sant des collines, sautaient les ruisseaux,
remontaient vers le bois; et, quand le
cerf commençait à gémir sous les mor-
sures, il l'abattait prestement, puis se
délectait à la furie des mâtins qui le dévoraient, coupé en pièces sur sa peau
fumante.

Les jours de brume, il s'enfonçait dans
un marais pour guetter les oies, les loutres
et les halbrans.

Trois écuyers, dès l'aube, l'attendaient
au bas du perron; et le vieux moine, se
penchant à sa lucarne, avait beau faire
des signes pour le rappeler, Julien ne se
retournait pas. Il allait à l'ardeur du soleil,
sous la pluie, par la tempête, buvait l'eau

des sources dans sa main, mangeait en
trottant des pommes sauvages, s'il était
fatigué se reposait sous un chêne; et il
rentrait au milieu de la nuit, couvert de
sang et de boue, avec des épines dans les
cheveux et sentant l'odeur des bêtes
farouches. Il devint comme elles. Quand
sa mère l'embrassait, il acceptait froi-
dement son étreinte, paraissant rêver à des
choses profondes.

Il tua des ours à coups de couteau, des
taureaux avec la hache, des sangliers
avec l'épieu; et même une fois, n'ayant
plus qu'un bâton, se défendit contre des
loups qui rongeaient des cadavres au
pied d'un gibet.

Un matin d'hiver, il partit avant le jour,
bien équipé, une arbalète sur l'épaule et un
trousseau de flèches à l'arçon de la selle.

Son genet danois, suivi de deux bassets,
en marchant d'un pas égal, faisait réson-
ner la terre. Des gouttes de verglas se collaient à son manteau, une bise violente
soufflait. Un côté de l'horizon s'éclaircit;
et, dans la blancheur du crépuscule, il
aperçut des lapins sautillant au bord de
leurs terriers. Les deux bassets, tout de
suite, se précipitèrent sur eux; et, çà et là,
vivement, leur brisaient l'échine.

Bientôt, il entra dans un bois. Au bout
d'une branche, un coq de bruyère en-

gourdi par le froid dormait la tête sous
l'aile. Julien, d'un revers d'épée, lui faucha
les deux pattes, et sans le ramasser continua sa route.

Trois heures après, il se trouva sur la
pointe d'une montagne tellement haute
que le ciel semblait presque noir. Devant
lui, un rocher pareil à un long mur
s'abaissait, en surplombant un précipice;
et, à l'extrémité, deux boucs sauvages
regardaient l'abîme. Comme il n'avait pas
ses flèches (car son cheval était resté en
arrière), il imagina de descendre jusqu'à
eux; à demi courbé, pieds nus, il arriva
enfin au premier des boucs, et lui enfonça
un poignard sous les côtes. Le second,
pris de terreur, sauta dans le vide. Julien
s'élança pour le frapper, et, glissant du
pied droit, tomba sur le cadavre de l'autre,
la face au-dessus de l'abîme et les deux
bras écartés.

Redescendu dans la plaine, il suivit des
saules qui bordaient une rivière. Des
grues, volant très bas, de temps à autre
passaient au-dessus de sa tête. Julien les
assommait avec son fouet, et n'en manqua
pas une.

Cependant l'air plus tiède avait fondu
le givre, de larges vapeurs flottaient, et le
soleil se montra. Il vit reluire tout au loin
un lac figé, qui ressemblait à du plomb.
Au milieu du lac, il y avait une bête que

Julien ne connaissait pas, un castor à
museau noir. Malgré la distance, une
flèche l'abattit; et il fut chagrin de ne
pouvoir emporter la peau.

Puis il s'avança dans une avenue de
grands arbres, formant avec leurs cimes
comme un arc de triomphe, à l'entrée
d'une forêt. Un chevreuil bondit hors d'un
fourré, un daim parut dans un carrefour,
un blaireau sortit d'un trou, un paon sur
le gazon déploya sa queue; — et quand il
les eut tous occis, d'autres chevreuils se
présentèrent, d'autres daims, d'autres
blaireaux, d'autres paons, et des merles,
des geais, des putois, des renards, des
hérissons, des lynx, une infinité de bêtes,
à chaque pas plus nombreuses. Elles tournaient autour de lui, tremblantes, avec un
regard plein de douceur et de supplication.
Mais Julien ne se fatiguait pas de tuer,
tour à tour bandant son arbalète, dégai-
nant l'épée, pointant du coutelas, et ne
pensait à rien, n'avait souvenir de quoi
que ce fût. Il était en chasse dans un pays
quelconque, depuis un temps indéter-
miné, par le fait seul de sa propre existence, tout s'accomplissant avec la faci-
lité que l'on éprouve dans les rêves. Un
spectacle extraordinaire l'arrêta. Des cerfs
emplissaient un vallon ayant la forme d'un
cirque; et tassés, les uns près des autres,
ils se réchauffaient avec leurs haleines

que l'on voyait fumer dans le brouillard.

L'espoir d'un pareil carnage, pendant
quelques minutes, le suffoqua de plaisir.
Puis il descendit de cheval, retroussa ses
manches, et se mit à tirer.

Au sifflement de la première flèche, tous
les cerfs à la fois tournèrent la tête. Il se
fit des enfonçures dans leur masse; des
voix plaintives s'élevaient, et un grand
mouvement agita le troupeau.

Le rebord du vallon était trop haut
pour le franchir. Ils bondissaient dans
l'enceinte, cherchant à s'échapper. Julien
visait, tirait; et les flèches tombaient
comme les rayons d'une pluie d'orage.
Les cerfs rendus furieux se battirent, se
cabraient, montaient les uns par-dessus
les autres; et leurs corps avec leurs
ramures emmêlées faisaient un large
monticule, qui s'écroulait, en se dépla-
çant.

Enfin ils moururent, couchés sur le
sable, la bave aux naseaux, les entrailles
sorties, et l'ondulation de leurs ventres
s'abaissant par degrés. Puis tout fut immobile.

La nuit allait venir; et derrière le bois,
dans les intervalles des branches, le ciel
était rouge comme une nappe de sang.

Julien s'adossa contre un arbre. Il
contemplait d'un œil béant l'énormité du

massacre, ne comprenant pas comment il avait pu le faire.

De l'autre côté du vallon, sur le bord de la forêt, il aperçut un cerf, une biche et son faon.

Le cerf, qui était noir et monstrueux de taille, portait seize andouillers avec une barbe blanche. La biche, blonde comme les feuilles mortes, broutait le gazon; et le faon tacheté, sans l'interrompre dans sa marche, lui tétait la mamelle.

L'arbalète encore une fois ronfla. Le faon, tout de suite, fut tué. Alors sa mère, en regardant le ciel, brama d'une voix profonde, déchirante, humaine. Julien exaspéré, d'un coup en plein poitrail, l'étendit par terre.

Le grand cerf l'avait vu, fit un bond. Julien lui envoya sa dernière flèche. Elle l'atteignit au front, et y resta plantée.

Le grand cerf n'eut pas l'air de la sentir; en enjambant par-dessus les morts, il avançait toujours, allait fondre sur lui, l'éventrer; et Julien reculait dans une épouvante indicible. Le prodigieux animal s'arrêta; et les yeux flamboyants, solennel comme un patriarche et comme un justicier, pendant qu'une cloche au loin tintait, il répéta trois fois :

— « Maudit! maudit! maudit! Un jour, cœur féroce, tu assassineras ton père et ta mère! »

Il plia les genoux, ferma doucement ses paupières, et mourut.

Julien fut stupéfait, puis accablé d'une fatigue soudaine; et un dégoût, une tristesse immense l'envahit. Le front dans les deux mains, il pleura pendant longtemps.

Son cheval était perdu; ses chiens l'avaient abandonné; la solitude qui l'enveloppait lui sembla toute menaçante de périls indéfinis. Alors, poussé par un effroi, il prit sa course à travers la campagne, choisit au hasard un sentier, et se trouva presque immédiatement à la porte du château.

La nuit, il ne dormit pas. Sous le vacillement de la lampe suspendue, il revoyait toujours le grand cerf noir. Sa prédiction l'obsédait; il se débattait contre elle. « Non! non! non! je ne peux pas les tuer! » puis il songeait : « Si je le voulais, pourtant?... » et il avait peur que le Diable ne lui en inspirât l'envie.

Durant trois mois, sa mère en angoisse pria au chevet de son lit, et son père, en gémissant, marchait continuellement dans les couloirs. Il manda les maîtres mires les plus fameux, lesquels ordonnèrent des quantités de drogues. Le mal de Julien, disaient-ils, avait pour cause un vent funeste, ou un désir d'amour. Mais le jeune homme, à toutes les questions, secouait la tête.

Les forces lui revinrent; et on le promenait dans la cour, le vieux moine et le bon
seigneur le soutenant chacun par un bras.

Quand il fut rétabli complètement, il
s'obstina à ne point chasser.

Son père, le voulant réjouir, lui fit
cadeau d'une grande épée sarrasine.

Elle était au haut d'un pilier, dans une
panoplie. Pour l'atteindre, il fallut une
échelle. Julien y monta. L'épée trop
lourde lui échappa des doigts, et en tombant frôla le bon seigneur de si près que
sa houppelande en fut coupée; Julien crut
avoir tué son père, et s'évanouit.

Dès lors, il redouta les armes. L'aspect
d'un fer nu le faisait pâlir. Cette faiblesse
était une désolation pour sa famille.

Enfin le vieux moine, au nom de Dieu,
de l'honneur et des ancêtres, lui commanda de reprendre ses exercices de gentilhomme.

Les écuyers, tous les jours, s'amusaient
au maniement de la javeline. Julien y
excella bien vite. Il envoyait la sienne dans
le goulot des bouteilles, cassait les dents
des girouettes, frappait à cent pas les
clous des portes.

Un soir d'été, à l'heure où la brume
rend les choses indistinctes, étant sous la
treille du jardin, il aperçut tout au fond
deux ailes blanches qui voletaient à la
hauteur de l'espalier. Il ne douta pas que

ce ne fût une cigogne; et il lança son jave-
lot.

Un cri déchirant partit.

C'était sa mère, dont le bonnet à
longues barbes restait cloué contre le mur.

Julien s'enfuit du château, et ne reparut
plus.

II

Il s'engagea dans une troupe d'aven-
turiers qui passaient.

Il connut la faim, la soif, les fièvres et
la vermine. Il s'accoutuma au fracas des
mêlées, à l'aspect des moribonds. Le vent
tanna sa peau. Ses membres se durcirent
par le contact des armures; et comme il
était très fort, courageux, tempérant,
avisé, il obtint sans peine le commandement d'une compagnie.

Au début des batailles, il enlevait ses
soldats d'un grand geste de son épée.
Avec une corde à nœuds, il grimpait aux
murs des citadelles, la nuit, balancé par
l'ouragan, pendant que les flammèches du
feu grégeois se collaient à sa cuirasse, et
que la résine bouillante et le plomb fondu
ruisselaient des créneaux. Souvent le heurt
d'une pierre fracassa son bouclier. Des

ponts trop chargés d'hommes croulèrent sous lui. En tournant sa masse d'armes, il se débarrassa de quatorze cavaliers. Il défit, en champ clos, tous ceux qui se proposèrent. Plus de vingt fois on le crut mort.

Grâce à la faveur divine, il en réchappa toujours; car il protégeait les gens d'Église, les orphelins, les veuves, et principalement les vieillards. Quand il en voyait un marchant devant lui, il criait pour connaître sa figure, comme s'il avait eu peur de le tuer par méprise.

Des esclaves en fuite, des manants révoltés, des bâtards sans fortune, toutes sortes d'intrépides affluèrent sous son drapeau, et il se composa une armée.

Elle grossit. Il devint fameux. On le recherchait.

Tour à tour, il secourut le dauphin de France et le roi d'Angleterre, les templiers de Jérusalem, le suréna des Parthes, le négus d'Abyssinie, et l'empereur de Calicut. Il combattit des Scandinaves recouverts d'écailles de poisson, des Nègres munis de rondaches en cuir d'hippopotame et, montés sur des ânes rouges, des Indiens couleur d'or et brandissant pardessus leurs diadèmes de larges sabres, plus clairs que des miroirs. Il vainquit les Troglodytes et les Anthropophages. Il traversa des régions si torrides que sous l'ardeur du soleil les chevelures s'allumaient d'elles-mêmes, comme des flambeaux; et d'autres qui étaient si glaciales que les bras, se détachant du corps, tombaient par terre; et des pays où il y avait tant de brouillards que l'on marchait environné de fantômes.

Des républiques en embarras le consultèrent. Aux entrevues d'ambassadeurs, il obtenait des conditions inespérées. Si un monarque se conduisait trop mal, il arrivait tout à coup, et lui faisait des remontrances. Il affranchit des peuples. Il délivra des reines enfermées dans des tours. C'est lui, et pas un autre, qui assomma la guivre de Milan et le dragon d'Oberbirbach.

Or l'empereur d'Occitanie, ayant triomphé des Musulmans espagnols, s'était joint par concubinage à la sœur du calife de Cordoue; et il en conservait une fille, qu'il avait élevée chrétiennement. Mais le calife, faisant mine de vouloir se convertir, vint lui rendre visite, accompagné d'une escorte nombreuse, massacra toute sa garnison, et le plongea dans un cul de basse-fosse, où il le traitait durement, afin d'en extirper des trésors.

Julien accourut à son aide, détruisit l'armée des infidèles, assiégea la ville, tua le calife, coupa sa tête, et la jeta comme une boule par-dessus les remparts. Puis il tira l'empereur de sa prison, et le fit remonter sur son trône, en présence de toute sa cour.

L'empereur, pour prix d'un tel service, lui présenta dans des corbeilles beaucoup d'argent; Julien n'en voulut pas. Croyant qu'il en désirait davantage, il lui offrit les trois quarts de ses richesses; nouveau refus; puis de partager son royaume; Julien le remercia; et l'empereur en pleurait de dépit, ne sachant de quelle manière témoigner sa reconnaissance, quand il se frappa le front, dit un mot à l'oreille d'un courtisan; les rideaux d'une tapisserie se relevèrent, et une jeune fille parut.

Ses grands yeux noirs brillaient comme deux lampes très douces. Un sourire charmant écartait ses lèvres. Les anneaux de sa chevelure s'accrochaient aux pierreries de sa robe entr'ouverte; et, sous la transparence de sa tunique, on devinait la jeunesse de son corps. Elle était toute mignonne et potelée, avec la taille fine.

Julien fut ébloui d'amour, d'autant plus qu'il avait mené jusqu'alors une vie très chaste.

Donc il reçut en mariage la fille de l'empereur, avec un château qu'elle tenait de sa mère; et, les noces étant terminées, on se quitta, après des politesses infinies de part et d'autre.

C'était un palais de marbre blanc, bâti
à la moresque, sur un promontoire, dans
un bois d'orangers. Des terrasses de fleurs
descendaient jusqu'au bord d'un golfe,
où des coquilles roses craquaient sous les
pas. Derrière le château, s'étendait une
forêt ayant le dessin d'un éventail. Le
ciel continuellement était bleu, et les
arbres se penchaient tour à tour sous
la brise de la mer et le vent des montagnes,
qui fermaient au loin l'horizon.

Les chambres, pleines de crépuscule,
se trouvaient éclairées par les incrusta-
tions des murailles. De hautes colonnettes,
minces comme des roseaux, supportaient
la voûte des coupoles, décorées de reliefs
imitant les stalactites des grottes.

Il y avait des jets d'eau dans les salles,
des mosaïques dans les cours, des cloisons
festonnées, mille délicatesses d'architec-
ture, et partout un tel silence que l'on
entendait le frôlement d'une écharpe ou
l'écho d'un soupir.

Julien ne faisait plus la guerre. Il se
reposait, entouré d'un peuple tranquille;
et chaque jour, une foule passait devant
lui, avec des génuflexions et des baise-
mains à l'orientale.

Vêtu de pourpre, il restait accoudé dans
l'embrasure d'une fenêtre, en se rappelant
ses chasses d'autrefois; et il aurait voulu
courir sur le désert après les gazelles et

les autruches, être caché dans les bam-
bous à l'affût des léopards, traverser des
forêts pleines de rhinocéros, atteindre au
sommet des monts les plus inaccessibles
pour viser mieux les aigles, et sur les
glaçons de la mer combattre les ours
blancs.

Quelquefois, dans un rêve, il se voyait
comme notre père Adam au milieu du
Paradis, entre toutes les bêtes; en allon-
geant le bras, il les faisait mourir; ou bien,
elles défilaient, deux à deux, par rang de
taille, depuis les éléphants et les lions
jusqu'aux hermines et aux canards,
comme le jour qu'elles entrèrent dans
l'arche de Noé. A l'ombre d'une caverne,
il dardait sur elles des javelots infaillibles;
il en survenait d'autres; cela n'en finissait
pas; et il se réveillait en roulant des yeux
farouches.

Des princes de ses amis l'invitèrent à
chasser. Il s'y refusa toujours, croyant,
par cette sorte de pénitence, détourner
son malheur; car il lui semblait que du
meurtre des animaux dépendait le sort de
ses parents. Mais il souffrait de ne pas
les voir, et son autre envie devenait insup-
portable.

Sa femme, pour le récréer, fit venir des
jongleurs et des danseuses.

Elle se promenait avec lui, en litière
ouverte, dans la campagne; d'autres fois,

étendus sur le bord d'une chaloupe, ils
regardaient les poissons vagabonder dans
l'eau, claire comme le ciel. Souvent elle
lui jetait des fleurs au visage; accroupie
devant ses pieds, elle tirait des airs d'une
mandoline à trois cordes; puis, lui posant
sur l'épaule ses deux mains jointes, disait
d'une voix timide : — « Qu'avez-vous
donc, cher seigneur? »

Il ne répondait pas, ou éclatait en sanglots; enfin, un jour, il avoua son horrible
pensée.

Elle la combattit, en raisonnant très
bien : son père et sa mère, probablement,
étaient morts; si jamais il les revoyait, par
quel hasard, dans quel but, arriverait-il à
cette abomination? Donc, sa crainte
n'avait pas de cause, et il devait se
remettre à chasser.

Julien souriait en l'écoutant, mais ne se
décidait pas à satisfaire son désir.

Un soir du mois d'août qu'ils étaient
dans leur chambre, elle venait de se coucher et il s'agenouillait pour sa prière
quand il entendit le jappement d'un
renard, puis des pas légers sous la fenêtre;
et il entrevit dans l'ombre comme des
apparences d'animaux. La tentation était
trop forte. Il décrocha son carquois.

Elle parut surprise.

— « C'est pour t'obéir! » dit-il, « au
lever du soleil, je serai revenu. »

Cependant elle redoutait une aventure funeste.

Il la rassura, puis sortit, étonné de l'inconséquence de son humeur.

Peu de temps après, un page vint annoncer que deux inconnus, à défaut du seigneur absent, réclamaient tout de suite la seigneuresse.

Et bientôt entrèrent dans la chambre un vieil homme et une vieille femme, courbés, poudreux, en habits de toile, et s'appuyant chacun sur un bâton.

Ils s'enhardirent et déclarèrent qu'ils apportaient à Julien des nouvelles de ses parents.

Elle se pencha pour les entendre.

Mais, s'étant concertés du regard, ils lui demandèrent s'il les aimait toujours, s'il parlait d'eux quelquefois.

— « Oh! oui! » dit-elle.

Alors, ils s'écrièrent :

— « Eh bien! c'est nous! » et ils s'assirent, étant fort las et recrus de fatigue.

Rien n'assurait à la jeune femme que son époux fût leur fils.

Ils en donnèrent la preuve, en décrivant des signes particuliers qu'il avait sur la peau.

Elle sauta hors sa couche, appela son page, et on leur servit un repas.

Bien qu'ils eussent grand faim, ils ne pouvaient guère manger ; et elle observait à l'écart le tremblement de leurs mains osseuses, en prenant les gobelets.

Ils firent mille questions sur Julien. Elle répondait à chacune, mais eut soin de taire l'idée funèbre qui les concernait.

Ne le voyant pas revenir, ils étaient partis de leur château; et ils marchaient depuis plusieurs années, sur de vagues indications, sans perdre l'espoir. Il avait fallu tant d'argent au péage des fleuves et dans les hôtelleries, pour les droits des princes et les exigences des voleurs, que le fond de leur bourse était vide, et qu'ils mendiaient maintenant. Qu'importe, puisque bientôt ils embrasseraient leur fils ? Ils exaltaient son bonheur d'avoir une femme aussi gentille, et ne se lassaient point de la contempler et de la baiser.

La richesse de l'appartement les étonnait beaucoup; et le vieux, ayant examiné les murs, demanda pourquoi s'y trouvait le blason de l'empereur d'Occitanie.

Elle répliqua :

— « C'est mon père! »

Alors il tressaillit, se rappelant la prédiction du Bohême; et la vieille songeait à la parole de l'Ermite. Sans doute la gloire de son fils n'était que l'aurore des splendeurs éternelles; et tous les deux restaient béants, sous la lumière du candélabre qui éclairait la table.

Ils avaient dû être très beaux dans leur jeunesse. La mère avait encore tous ses cheveux, dont les bandeaux fins, pareils à des plaques de neige, pendaient jusqu'au bas de ses joues; et le père, avec sa taille haute et sa grande barbe, ressemblait à une statue d'église.

La femme de Julien les engagea à ne pas l'attendre. Elle les coucha elle-même dans son lit, puis ferma la croisée; ils s'endormirent. Le jour allait paraître, et, derrière le vitrail, les petits oiseaux commençaient à chanter.

Julien avait traversé le parc; et il marchait dans la forêt d'un pas nerveux, jouissant de la mollesse du gazon et de la douceur de l'air.

Les ombres des arbres s'étendaient sur la mousse. Quelquefois la lune faisait des taches blanches dans les clairières, et il hésitait à s'avancer, croyant apercevoir une flaque d'eau, ou bien la surface des mares tranquilles se confondait avec la couleur de l'herbe. C'était partout un grand silence; et il ne découvrait aucune des bêtes qui, peu de minutes auparavant, erraient à l'entour de son château.

Le bois s'épaissit, l'obscurité devint profonde. Des bouffées de vent chaud passaient, pleines de senteurs amollissantes. Il enfonçait dans des tas de feuilles mortes, et il s'appuya contre un chêne pour haleter un peu.

Tout à coup, derrière son dos, bondit une masse plus noire, un sanglier. Julien n'eut pas le temps de saisir son arc, et il s'en affligea comme d'un malheur.

Puis, étant sorti du bois, il aperçut un loup qui filait le long d'une haie.

Julien lui envoya une flèche. Le loup s'arrêta, tourna la tête pour le voir et reprit sa course. Il trottait en gardant toujours la même distance, s'arrêtait de temps à autre, et, sitôt qu'il était visé, recommençait à fuir.

Julien parcourut de cette manière une plaine interminable, puis des monticules de sable, et enfin il se trouva sur un plateau dominant un grand espace de pays. Des pierres plates étaient clairsemées entre des caveaux en ruine. On trébuchait sur des ossements de morts; de place en place, des croix vermoulues se penchaient d'un air lamentable. Mais des formes remuèrent dans l'ombre indécise des tombeaux; et il en surgit des hyènes, tout effarées, pantelantes. En faisant claquer leurs ongles sur les dalles, elles vinrent à lui et le flairaient avec un bâillement qui découvrait leurs gencives. Il dégaina son sabre. Elles partirent à la fois dans toutes les directions, et, continuant leur galop boiteux et précipité, se perdirent au loin sous un flot de poussière.

Une heure après, il rencontra dans un

ravin un taureau furieux, les cornes en
avant, et qui grattait le sable avec son
pied. Julien lui pointa sa lance sous les
fanons. Elle éclata, comme si l'animal eût
été de bronze; il ferma les yeux, attendant
sa mort. Quand il les rouvrit, le taureau
avait disparu.

Alors son âme s'affaissa de honte. Un
pouvoir supérieur détruisait sa force; et,
pour s'en retourner chez lui, il rentra dans
la forêt.

Elle était embarrassée de lianes; et il les
coupait avec son sabre quand une fouine
glissa brusquement entre ses jambes, une
panthère fit un bond par-dessus son
épaule, un serpent monta en spirale autour
d'un frêne.

Il y avait dans son feuillage un choucas
monstrueux, qui regardait Julien; et, çà
et là, parurent entre les branches quantité de larges étincelles, comme si le firmament eût fait pleuvoir dans la forêt
toutes ses étoiles. C'étaient des yeux d'animaux, des chats sauvages, des écureuils,
des hiboux, des perroquets, des singes.

Julien darda contre eux ses flèches; les
flèches, avec leurs plumes, se posaient sur
les feuilles comme des papillons blancs.
Il leur jeta des pierres; les pierres, sans
rien toucher, retombaient. Il se maudit,
aurait voulu se battre, hurla des impré-
cations, étouffait de rage.

Et tous les animaux qu'il avait poursuivis se représentèrent, faisant autour de
lui un cercle étroit. Les uns étaient assis
sur leur croupe, les autres dressés de toute
leur taille. Il restait au milieu, glacé de
terreur, incapable du moindre mouvement.
Par un effort suprême de sa volonté,
il fit un pas; ceux qui perchaient sur les
arbres ouvrirent leurs ailes, ceux qui foulaient le sol déplacèrent leurs membres;
et tous l'accompagnaient.

Les hyènes marchaient devant lui, le
loup et le sanglier par-derrière. Le taureau, à sa droite, balançait la tête; et, à
sa gauche, le serpent ondulait dans les
herbes, tandis que la panthère, bombant
son dos, avançait à pas de velours et à
grandes enjambées. Il allait le plus lentement possible pour ne pas les irriter; et il
voyait sortir de la profondeur des buissons
des porcs-épics, des renards, des vipères,
des chacals et des ours.

Julien se mit à courir; ils coururent. Le
serpent sifflait, les bêtes puantes bavaient.
Le sanglier lui frottait les talons avec ses
défenses, le loup, l'intérieur des mains
avec les poils de son museau. Les singes
le pinçaient en grimaçant, la fouine se
roulait sur ses pieds. Un ours, d'un revers
de patte, lui enleva son chapeau; et la
panthère, dédaigneusement, laissa tomber une flèche qu'elle portait à sa gueule.

Une ironie perçait dans leurs allures sournoises. Tout en l'observant du coin de leurs prunelles, ils semblaient méditer un plan de vengeance; et, assourdi par le bourdonnement des insectes, battu par des queues d'oiseau, suffoqué par des haleines, il marchait les bras tendus et les paupières closes comme un aveugle, sans même avoir la force de crier « grâce! »

Le chant d'un coq vibra dans l'air. D'autres y répondirent; c'était le jour; et il reconnut, au-delà des orangers, le faîte de son palais.

Puis, au bord d'un champ, il vit, à trois pas d'intervalle, des perdrix rouges qui voletaient dans les chaumes. Il dégrafa son manteau, et l'abattit sur elles comme un filet. Quand il les eut découvertes, il n'en trouva qu'une seule, et morte depuis longtemps, pourrie.

Cette déception l'exaspéra plus que toutes les autres. Sa soif de carnage le reprenait; les bêtes manquant, il aurait voulu massacrer des hommes.

Il gravit les trois terrasses, enfonça la porte d'un coup de poing; mais, au bas de l'escalier, le souvenir de sa chère femme détendit son cœur. Elle dormait sans doute, et il allait la surprendre.

Ayant retiré ses sandales, il tourna doucement la serrure, et entra.

Les vitraux garnis de plomb obscur-

cissaient la pâleur de l'aube. Julien se prit
les pieds dans des vêtements, par terre;
un peu plus loin, il heurta une crédence
encore chargée de vaisselle. « Sans doute,
elle aura mangé, » se dit-il; et il avançait
vers le lit, perdu dans les ténèbres au fond
de la chambre. Quand il fut au bord, afin
d'embrasser sa femme, il se pencha sur
l'oreiller où les deux têtes reposaient l'une
près de l'autre. Alors, il sentit contre sa
bouche l'impression d'une barbe.

Il se recula, croyant devenir fou; mais
il revint près du lit, et ses doigts, en pal-
pant, rencontrèrent des cheveux qui étaient
très longs. Pour se convaincre de son
erreur, il repassa lentement sa main sur
l'oreiller. C'était bien une barbe, cette
fois, et un homme! un homme couché
avec sa femme!

Éclatant d'une colère démesurée, il
bondit sur eux à coups de poignard; et il
trépignait, écumait, avec des hurlements
de bête fauve. Puis il s'arrêta. Les morts,
percés au cœur, n'avaient pas même
bougé. Il écoutait attentivement leurs deux
râles presque égaux, et, à mesure qu'ils
s'affaiblissaient, un autre, tout au loin, les
continuait. Incertaine d'abord, cette voix
plaintive, longuement poussée, se rapprochait, s'enfla, devint cruelle; et il
reconnut, terrifié, le bramement du grand
cerf noir.

Et comme il se retournait, il crut voir, dans l'encadrure de la porte, le fantôme de sa femme, une lumière à la main.

Le tapage du meurtre l'avait attirée. D'un large coup d'œil, elle comprit tout, et, s'enfuyant d'horreur, laissa tomber son flambeau.

Il le ramassa.

Son père et sa mère étaient devant lui, étendus sur le dos avec un trou dans la poitrine; et leurs visages, d'une majestueuse douceur, avaient l'air de garder comme un secret éternel. Des éclaboussures et des flaques de sang s'étalaient au milieu de leur peau blanche, sur les draps du lit, par terre, le long d'un christ d'ivoire suspendu dans l'alcôve. Le reflet écarlate du vitrail, alors frappé par le soleil, éclairait ces taches rouges, et en jetait de plus nombreuses dans tout l'appartement. Julien marcha vers les deux morts en se disant, en voulant croire, que cela n'était pas possible, qu'il s'était trompé, qu'il y a parfois des ressemblances inexplicables. Enfin, il se baissa légèrement pour voir de tout près le vieillard; et il aperçut, entre ses paupières mal fermées, une prunelle éteinte qui le brûla comme du feu. Puis il se porta de l'autre côté de la couche, occupé par l'autre corps, dont les cheveux blancs masquaient une partie de la figure. Julien lui passa les doigts sous ses ban-

deaux, leva sa tête; — et il la regardait,
en la tenant au bout de son bras roidi,
pendant que de l'autre main il s'éclairait
avec le flambeau. Des gouttes, suintant
du matelas, tombaient une à une sur le
plancher.

A la fin du jour, il se présenta devant sa
femme; et, d'une voix différente de la
sienne, il lui commanda premièrement de
ne pas lui répondre, de ne pas l'approcher,
de ne plus même le regarder, et qu'elle
eût à suivre, sous peine de damnation, tous
ses ordres qui étaient irrévocables.

Les funérailles seraient faites selon les
instructions qu'il avait laissées par écrit,
sur un prie-Dieu, dans la chambre des
morts. Il lui abandonnait son palais,
ses vassaux, tous ses biens, sans même
retenir les vêtements de son corps, et ses
sandales, que l'on trouverait au haut de
l'escalier.

Elle avait obéi à la volonté de Dieu, en
occasionnant son crime, et devait prier
pour son âme, puisque désormais il n'existait plus.

On enterra les morts avec magnificence,
dans l'église d'un monastère à trois journées du château. Un moine en cagoule
rabattue suivit le cortège, loin de tous les
autres, sans que personne osât lui parler.
Il resta, pendant la messe, à plat ventre

au milieu du portail, les bras en croix, et le front dans la poussière.

Après l'ensevelissement, on le vit prendre le chemin qui menait aux montagnes. Il se retourna plusieurs fois, et finit par disparaître.

III

Il s'en alla, mendiant sa vie par le monde.

Il tendait sa main aux cavaliers sur les routes, avec des génuflexions s'approchait des moissonneurs, ou restait immobile devant la barrière des cours ; et son visage était si triste que jamais on ne lui refusait l'aumône.

Par esprit d'humilité, il racontait son histoire ; alors tous s'enfuyaient, en faisant des signes de croix. Dans les villages où il avait déjà passé, sitôt qu'il était reconnu, on fermait les portes, on lui criait des menaces, on lui jetait des pierres. Les plus charitables posaient une écuelle sur le bord de leur fenêtre, puis fermaient l'auvent pour ne pas l'apercevoir.

Repoussé de partout, il évita les hommes ; et il se nourrit de racines, de plantes, de fruits perdus, et de coquillages qu'il cherchait le long des grèves.

Quelquefois, au tournant d'une côte, il voyait sous ses yeux une confusion de toits pressés, avec des flèches de pierre, des ponts, des tours, des rues noires s'entrecroisant, et d'où montait jusqu'à lui un bourdonnement continuel.

Le besoin de se mêler à l'existence des autres le faisait descendre dans la ville. Mais l'air bestial des figures, le tapage des métiers, l'indifférence des propos glaçaient son cœur. Les jours de fête, quand le bour-don des cathédrales mettait en joie dès l'aurore le peuple entier, il regardait les habitants sortir de leurs maisons, puis les danses sur les places, les fontaines de cer-voise dans les carrefours, les tentures de damas devant le logis des princes, et le soir venu, par le vitrage des rez-de-chaus-sée, les longues tables de famille où des aïeux tenaient des petits enfants sur leurs genoux; des sanglots l'étouffaient, et il s'en retournait vers la campagne.

Il contemplait avec des élancements d'amour les poulains dans les herbages, les oiseaux dans leurs nids, les insectes sur les fleurs; tous, à son approche, cou-raient plus loin, se cachaient effarés, s'en-volaient bien vite.

Il rechercha les solitudes. Mais le vent apportait à son oreille comme des râles d'agonie; les larmes de la rosée tombant par terre lui rappelaient d'autres gouttes d'un poids plus lourd. Le soleil, tous les soirs, étalait du sang dans les nuages; et chaque nuit, en rêve, son parricide recommençait.

Il se fit un cilice avec des pointes de fer. Il monta sur les deux genoux toutes les collines ayant une chapelle à leur sommet. Mais l'impitoyable pensée obscurcissait la splendeur des tabernacles, le torturait à travers les macérations de la pénitence.

Il ne se révoltait pas contre Dieu qui lui avait infligé cette action, et pourtant se désespérait de l'avoir pu commettre.

Sa propre personne lui faisait tellement horreur qu'espérant s'en délivrer il l'aventura dans des périls. Il sauva des paralytiques des incendies, des enfants du fond des gouffres. L'abîme le rejetait, les flammes l'épargnaient.

Le temps n'apaisa pas sa souffrance. Elle devenait intolérable. Il résolut de mourir.

Et un jour qu'il se trouvait au bord d'une fontaine, comme il se penchait dessus pour juger de la profondeur de l'eau, il vit paraître en face de lui un vieillard tout décharné, à barbe blanche et d'un aspect si lamentable qu'il lui fut impossible de retenir ses pleurs. L'autre,

aussi, pleurait. Sans reconnaître son
image, Julien se rappelait confusément
une figure ressemblant à celle-là. Il poussa
un cri; c'était son père; et il ne pensa
plus à se tuer.

Ainsi, portant le poids de son souvenir,
il parcourut beaucoup de pays; et il arriva
près d'un fleuve dont la traversée était
dangereuse, à cause de sa violence et parce
qu'il y avait sur les rives une grande
étendue de vase. Personne depuis longtemps n'osait plus le passer.

Une vieille barque, enfouie à l'arrière,
dressait sa proue dans les roseaux. Julien
en l'examinant découvrit une paire d'avirons; et l'idée lui vint d'employer son
existence au service des autres.

Il commença par établir sur la berge une
manière de chaussée qui permettait de
descendre jusqu'au chenal; et il se brisait
les ongles à remuer les pierres énormes,
les appuyait contre son ventre pour les
transporter, glissait dans la vase, y enfonçait, manqua périr plusieurs fois.

Ensuite, il répara le bateau avec des
épaves de navires, et il se fit une cahute
avec de la terre glaise et des troncs
d'arbres.

Le passage étant connu, les voyageurs
se présentèrent. Ils l'appelaient de l'autre
bord, en agitant des drapeaux; Julien bien
vite sautait dans sa barque. Elle était très

lourde; et on la surchargeait par toutes
sortes de bagages et de fardeaux, sans
compter les bêtes de somme, qui, ruant de
peur, augmentaient l'encombrement. Il ne
demandait rien pour sa peine; quelques-
uns lui donnaient des restes de victuailles
qu'ils tiraient de leur bissac ou les habits
trop usés dont ils ne voulaient plus. Des
brutaux vociféraient des blasphèmes.
Julien les reprenait avec douceur; et ils
ripostaient par des injures. Il se conten-
tait de les bénir.

Une petite table, un escabeau, un lit de
feuilles mortes et trois coupes d'argile,
voilà tout ce qu'était son mobilier. Deux
trous dans la muraille servaient de
fenêtres. D'un côté, s'étendaient à perte
de vue des plaines stériles ayant sur leur
surface de pâles étangs, çà et là; et le
grand fleuve, devant lui, roulait ses flots
verdâtres. Au printemps, la terre humide
avait une odeur de pourriture. Puis un
vent désordonné soulevait la poussière en
tourbillons. Elle entrait partout, embour-
bait l'eau, craquait sous les gencives. Un
peu plus tard, c'étaient des nuages de mous-
tiques, dont la susurration et les piqûres ne
s'arrêtaient ni jour ni nuit. Ensuite, sur-
venaient d'atroces gelées qui donnaient
aux choses la rigidité de la pierre, et in-
spiraient un besoin fou de manger de la
viande.

Des mois s'écoulaient sans que Julien
vît personne. Souvent il fermait les yeux,
tâchant, par la mémoire, de revenir dans
sa jeunesse; — et la cour d'un château
apparaissait, avec des lévriers sur un perron, des valets dans la salle d'armes, et,
sous un berceau de pampres, un adolescent à cheveux blonds entre un vieillard
couvert de fourrures et une dame à grand
hennin; tout à coup, les deux cadavres
étaient là. Il se jetait à plat ventre sur son
lit, et répétait en pleurant :

— « Ah! pauvre père! pauvre mère!
pauvre mère! » Et tombait dans un assou-
pissement où les visions funèbres continuaient.

Une nuit qu'il dormait, il crut entendre
quelqu'un l'appeler. Il tendit l'oreille et
ne distingua que le mugissement des
flots.

Mais la même voix reprit :

— « Julien! »

Elle venait de l'autre bord, ce qui lui
parut extraordinaire, vu la largeur du
fleuve.

Une troisième fois on appela :

— « Julien! »

Et cette voix haute avait l'intonation
d'une cloche d'église.

Ayant allumé sa lanterne, il sortit de la
cahute. Un ouragan furieux emplissait

la nuit. Les ténèbres étaient profondes, et çà et là déchirées par la blancheur des vagues qui bondissaient.

Après une minute d'hésitation, Julien dénoua l'amarre. L'eau, tout de suite, devint tranquille, la barque glissa dessus et toucha l'autre berge, où un homme attendait.

Il était enveloppé d'une toile en lambeaux, la figure pareille à un masque de plâtre et les deux yeux plus rouges que des charbons. En approchant de lui la lanterne, Julien s'aperçut qu'une lèpre hideuse le recouvrait; cependant, il avait dans son attitude comme une majesté de roi.

Dès qu'il entra dans la barque, elle enfonça prodigieusement, écrasée par son poids; une secousse la remonta; et Julien se mit à ramer.

A chaque coup d'aviron, le ressac des flots la soulevait par l'avant. L'eau, plus noire que de l'encre, courait avec furie des deux côtés du bordage. Elle creusait des abîmes, elle faisait des montagnes, et la chaloupe sautait dessus, puis redescendait dans des profondeurs où elle tournoyait, ballottée par le vent.

Julien penchait son corps, dépliait les bras, et, s'arc-boutant des pieds, se renversait avec une torsion de la taille, pour avoir plus de force. La grêle cinglait ses mains, la pluie coulait dans son dos, la

violence de l'air l'étouffait, il s'arrêta.
Alors le bateau fut emporté à la dérive.
Mais, comprenant qu'il s'agissait d'une
chose considérable, d'un ordre auquel il
ne fallait pas désobéir, il reprit ses avirons;
et le claquement des tolets coupait la
clameur de la tempête.

La petite lanterne brûlait devant lui.
Des oiseaux, en voletant, la cachaient par
intervalles. Mais toujours il apercevait
les prunelles du lépreux qui se tenait
debout à l'arrière, immobile comme une
colonne.

Et cela dura longtemps, très longtemps!

Quand ils furent arrivés dans la cahute,
Julien ferma la porte; et il le vit siégeant
sur l'escabeau. L'espèce de linceul qui
le recouvrait était tombé jusqu'à ses
hanches; et ses épaules, sa poitrine, ses
bras maigres disparaissaient sous des plaques de pustules écailleuses. Des rides
énormes labouraient son front. Tel qu'un
squelette, il avait un trou à la place du nez;
et ses lèvres bleuâtres dégageaient une
haleine épaisse comme un brouillard et
nauséabonde.

— « J'ai faim! » dit-il.

Julien lui donna ce qu'il possédait, un
vieux quartier de lard et les croûtes d'un
pain noir.

Quand il les eut dévorés, la table,

l'écuelle et le manche du couteau portaient les mêmes taches que l'on voyait
sur son corps.

Ensuite, il dit : — « J'ai soif! ».

Julien alla chercher sa cruche; et,
comme il la prenait, il en sortit un arôme
qui dilata son cœur et ses narines. C'était
du vin; quelle trouvaille! mais le lépreux
avança le bras et d'un trait vida toute la
cruche.

Puis il dit : — « J'ai froid! »

Julien, avec sa chandelle, enflamma
un paquet de fougères, au milieu de la
cabane.

Le lépreux vint s'y chauffer; et, accroupi
sur les talons, il tremblait de tous ses
membres, s'affaiblissait; ses yeux ne brillaient plus, ses ulcères coulaient, et, d'une
voix presque éteinte, il murmura : —
« Ton lit! »

Julien l'aida doucement à s'y traîner, et
même étendit sur lui, pour le couvrir, la
toile de son bateau.

Le lépreux gémissait. Les coins de sa
bouche découvraient ses dents, un râle
accéléré lui secouait la poitrine, et son
ventre, à chacune de ses aspirations, se
creusait jusqu'aux vertèbres.

Puis il ferma les paupières.

— « C'est comme de la glace dans mes
os! Viens près de moi! »

Et Julien, écartant la toile, se coucha sur

les feuilles mortes, près de lui, côte à côte.

Le lépreux tourna la tête.

— « Déshabille-toi, pour que j'aie la chaleur de ton corps! »

Julien ôta ses vêtements; puis, nu comme au jour de sa naissance, se replaça dans le lit; et il sentait contre sa cuisse la peau du lépreux, plus froide qu'un serpent et rude comme une lime.

Il tâchait de l'encourager; et l'autre répondait, en haletant :

— « Ah! je vais mourir!... Rapproche-toi, réchauffe-moi! Pas avec les mains! non! toute ta personne. »

Julien s'étala dessus complètement, bouche contre bouche, poitrine sur poitrine.

Alors le lépreux l'étreignit; et ses yeux tout à coup prirent une clarté d'étoiles; ses cheveux s'allongèrent comme les rais du soleil; le souffle de ses narines avait la douceur des roses; un nuage d'encens s'éleva du foyer, les flots chantaient. Cependant une abondance de délices, une joie surhumaine descendait comme une inondation dans l'âme de Julien pâmé; et celui dont les bras le serraient toujours grandissait, grandissait, touchant de sa tête et de ses pieds les deux murs de la cabane. Le toit s'envola, le firmament se déployait; — et Julien monta vers les espaces bleus, face à face avec Notre-

Seigneur Jésus, qui l'emportait dans le ciel.

Et voilà l'histoire de saint Julien l'Hospitalier, telle à peu près qu'on la trouve, sur un vitrail d'église, dans mon pays.

HÉRODIAS

I

La citadelle de Machærous se dressait
à l'orient de la mer Morte, sur un pic de
basalte ayant la forme d'un cône. Quatre
vallées profondes l'entouraient, deux vers
les flancs, une en face, la quatrième au-
delà. Des maisons se tassaient contre sa
base, dans le cercle d'un mur qui ondulait
suivant les inégalités du terrain; et, par
un chemin en zigzag tailladant le rocher,
la ville se reliait à la forteresse, dont les
murailles étaient hautes de cent vingt
coudées, avec des angles nombreux, des
créneaux sur le bord, et, çà et là, des tours
qui faisaient comme des fleurons à cette
couronne de pierres, suspendue au-dessus
de l'abîme.

Il y avait dans l'intérieur un palais orné
de portiques, et couvert d'une terrasse que
fermait une balustrade en bois de sycomore, où des mâts étaient disposés pour
tendre un vélarium.

Un matin, avant le jour, le Tétrarque
Hérode-Antipas vint s'y accouder, et
regarda.

Les montagnes, immédiatement sous
lui, commençaient à découvrir leurs crêtes,
pendant que leur masse, jusqu'au fond des
abîmes, était encore dans l'ombre. Un
brouillard flottait, il se déchira, et les
contours de la mer Morte apparurent.
L'aube, qui se levait derrière Machærous,
épandait une rougeur. Elle illumina bientôt les sables de la grève, les collines, le
désert, et, plus loin, tous les monts de la
Judée, inclinant leurs surfaces raboteuses
et grises. Engaddi, au milieu, traçait une
barre noire; Hébron, dans l'enfoncement,
s'arrondissait en dôme; Esquol avait des
grenadiers, Sorek des vignes, Karmel des
champs de sésame; et la tour Antonia, de
son cube monstrueux, dominait Jérusalem. Le Tétrarque en détourna la vue pour
contempler, à droite, les palmiers de Jéricho; et il songea aux autres villes de sa
Galilée : Capharnaüm, Endor, Nazareth,
Tibérias où peut-être il ne reviendrait
plus. Cependant le Jourdain coulait sur la
plaine aride. Toute blanche, elle éblouissait
comme une nappe de neige. Le lac, maintenant, semblait en lapis-lazuli; et à sa pointe
méridionale, du côté de l'Yémen, Antipas
reconnut ce qu'il craignait d'apercevoir.
Des tentes brunes étaient dispersées; des
hommes avec des lances circulaient entre
les chevaux, et des feux s'éteignant brillaient comme des étincelles à ras du sol.

C'étaient les troupes du roi des Arabes, dont il avait répudié la fille pour prendre Hérodias, mariée à l'un de ses frères, qui vivait en Italie, sans prétentions au pouvoir.

Antipas attendait les secours des Romains; et Vitellius, gouverneur de la Syrie, tardant à paraître, il se rongeait d'inquiétudes.

Agrippa, sans doute, l'avait ruiné chez l'Empereur ? Philippe, son troisième frère, souverain de la Batanée, s'armait clandestinement. Les Juifs ne voulaient plus de ses mœurs idolâtres, tous les autres de sa domination; si bien qu'il hésitait entre deux projets : adoucir les Arabes ou conclure une alliance avec les Parthes; et, sous le prétexte de fêter son anniversaire, il avait convié, pour ce jour même, à un grand festin, les chefs de ses troupes, les régisseurs de ses campagnes et les principaux de la Galilée.

Il fouilla d'un regard aigu toutes les routes. Elles étaient vides. Des aigles volaient au-dessus de sa tête; les soldats, le long du rempart, dormaient contre les murs; rien ne bougeait dans le château.

Tout à coup, une voix lointaine, comme échappée des profondeurs de la terre, fit pâlir le Tétrarque. Il se pencha pour écouter; elle avait disparu. Elle reprit; et en claquant dans ses mains, il cria : — « Mannaëi! Mannaëi! »

Un homme se présenta, nu jusqu'à la ceinture, comme les masseurs des bains. Il était très grand, vieux, décharné, et portait sur la cuisse un coutelas dans une gaine de bronze. Sa chevelure, relevée par un peigne, exagérait la longueur de son front. Une somnolence décolorait ses yeux, mais ses dents brillaient, et ses orteils posaient légèrement sur les dalles, tout son corps ayant la souplesse d'un singe, et sa figure l'impassibilité d'une momie.

— « Où est-il ? » demanda le Tétrarque.

Mannaëi répondit, en indiquant avec son pouce un objet derrière eux :

— « Là! toujours! »

— « J'avais cru l'entendre! »

Et Antipas, quand il eut respiré largement, s'informa de Iaokanann, le même que les Latins appellent saint Jean-Baptiste. Avait-on revu ces deux hommes, admis par indulgence, l'autre mois, dans son cachot, et savait-on, depuis lors, ce qu'ils étaient venus faire ?

Mannaëi répliqua :

— « Ils ont échangé avec lui des paroles mystérieuses, comme les voleurs, le soir, aux carrefours des routes. Ensuite ils sont partis vers la Haute-Galilée, en annonçant qu'ils apporteraient une grande nouvelle. »

Antipas baissa la tête, puis d'un air d'épouvante :

— « Garde-le! garde-le! Et ne laisse entrer personne! Ferme bien la porte! Couvre la fosse! On ne doit pas même soupçonner qu'il vit! »

Sans avoir reçu ces ordres, Mannaëi les accomplissait; car Iaokanann était Juif, et il exécrait les Juifs comme tous les Samaritains.

Leur temple de Garizim, désigné par Moïse pour être le centre d'Israël, n'existait plus depuis le roi Hyrcan; et celui de Jérusalem les mettait dans la fureur d'un outrage, et d'une injustice permanente. Mannaëi s'y était introduit, afin d'en souiller l'autel avec des os de morts. Ses compagnons, moins rapides, avaient été décapités.

Il l'aperçut dans l'écartement de deux collines. Le soleil faisait resplendir ses murailles de marbre blanc et les lames d'or de sa toiture. C'était comme une montagne lumineuse, quelque chose de surhumain, écrasant tout de son opulence et de son orgueil.

Alors il étendit les bras du côté de Sion; et, la taille droite, le visage en arrière, les poings fermés, lui jeta un anathème, croyant que les mots avaient un pouvoir effectif.

Antipas écoutait, sans paraître scandalisé.

Le Samaritain dit encore :

— « Par moments il s'agite, il voudrait fuir, il espère une délivrance. D'autres fois, il a l'air tranquille d'une bête malade ; ou bien je le vois qui marche dans les ténèbres, en répétant : « Qu'importe ? Pour qu'il grandisse, il faut que je diminue ! »

Antipas et Mannaëi se regardèrent. Mais le Tétrarque était las de réfléchir.

Tous ces monts autour de lui, comme des étages de grands flots pétrifiés, les gouffres noirs sur le flanc des falaises, l'immensité du ciel bleu, l'éclat violent du jour, la profondeur des abîmes le troublaient ; et une désolation l'envahissait au spectacle du désert, qui figure, dans le bouleversement de ses terrains, des amphithéâtres et des palais abattus. Le vent chaud apportait, avec l'odeur du soufre, comme l'exhalaison des villes maudites, ensevelies plus bas que le rivage sous les eaux pesantes. Ces marques d'une colère immortelle effrayaient sa pensée ; et il restait les deux coudes sur la balustrade, les yeux fixes et les tempes dans les mains. Quelqu'un l'avait touché. Il se retourna. Hérodias était devant lui.

Une simarre de pourpre légère l'enveloppait jusqu'aux sandales. Sortie précipitamment de sa chambre, elle n'avait ni collier, ni pendants d'oreilles ; une tresse de ses cheveux noirs lui tombait sur un

bras, et s'enfonçait, par le bout, dans
l'intervalle de ses deux seins. Ses narines,
trop remontées, palpitaient; la joie d'un
triomphe éclairait sa figure; et, d'une voix
forte, secouant le Tétrarque :

— « César nous aime! Agrippa est en
prison! »

— « Qui te l'a dit ? »

— « Je le sais! »

Elle ajouta :

— « C'est pour avoir souhaité l'empire
à Caïus! »

Tout en vivant de leurs aumônes, il
avait brigué le titre de roi, qu'ils ambi-
tionnaient comme lui. Mais dans l'avenir
plus de craintes! — « Les cachots de
Tibère s'ouvrent difficilement, et quelquefois l'existence n'y est pas sûre! »

Antipas la comprit; et, bien qu'elle fût
la sœur d'Agrippa, son intention atroce
lui sembla justifiée. Ces meurtres étaient
une conséquence des choses, une fatalité
des maisons royales. Dans celle d'Hérode,
on ne les comptait plus.

Puis elle étala son entreprise : les clients
achetés, les lettres découvertes, des espions
à toutes les portes, et comment elle était
parvenue à séduire Eutychès le dénon-
ciateur. — « Rien ne me coûtait! Pour toi,
n'ai-je pas fait plus ?... J'ai abandonné
ma fille! »

Après son divorce, elle avait laissé dans

Rome cette enfant, espérant bien en avoir
d'autres du Tétrarque. Jamais elle n'en
parlait. Il se demanda pourquoi son accès
de tendresse.

On avait déplié le vélarium et apporté
vivement de larges coussins auprès d'eux.
Hérodias s'y affaissa, et pleurait, en tournant le dos. Puis elle se passa la main sur
les paupières, dit qu'elle n'y voulait plus
songer, qu'elle se trouvait heureuse; et
elle lui rappela leurs causeries là-bas, dans
l'atrium, les rencontres aux étuves, leurs
promenades le long de la voie Sacrée, et
les soirs, dans les grandes villas, au murmure des jets d'eau, sous des arcs de fleurs,
devant la campagne romaine. Elle le
regardait comme autrefois, en se frôlant
contre sa poitrine, avec des gestes câlins.
— Il la repoussa. L'amour qu'elle tâchait
de ranimer était si loin, maintenant! Et
tous ses malheurs en découlaient; car,
depuis douze ans bientôt, la guerre continuait. Elle avait vieilli le Tétrarque. Ses
épaules se voûtaient dans une toge
sombre, à bordure violette; ses cheveux
blancs se mêlaient à sa barbe, et le soleil,
qui traversait la voile, baignait de lumière
son front chagrin. Celui d'Hérodias également avait des plis; et, l'un en face de
l'autre, ils se considéraient d'une manière
farouche.

Les chemins dans la montagne commen-

cèrent à se peupler. Des pasteurs piquaient
des bœufs, des enfants tiraient des ânes,
des palefreniers conduisaient des chevaux.
Ceux qui descendaient les hauteurs au-
delà de Machærous disparaissaient derrière le château; d'autres montaient le
ravin en face, et, parvenus à la ville,
déchargeaient leurs bagages dans les cours.
C'étaient les pourvoyeurs du Tétrarque,
et des valets, précédant ses convives.

Mais au fond de la terrasse, à gauche,
un Essénien parut, en robe blanche, nu-
pieds, l'air stoïque. Mannaëi, du côté
droit, se précipitait en levant son coutelas.

Hérodias lui cria : — « Tue-le! »

— « Arrête! » dit le Tétrarque.

Il devint immobile; l'autre aussi.

Puis ils se retirèrent, chacun par un escalier différent, à reculons, sans se perdre
des yeux.

— « Je le connais! » dit Hérodias, « il
se nomme Phanuel, et cherche à voir
Iaokanann, puisque tu as l'aveuglement
de le conserver! »

Antipas objecta qu'il pouvait un jour
servir. Ses attaques contre Jérusalem
gagnaient à eux le reste des Juifs.

— « Non! » reprit-elle, « ils acceptent
tous les maîtres, et ne sont pas capables
de faire une patrie! » Quant à celui qui
remuait le peuple avec des espérances

conservées depuis Néhémias, la meilleure
politique était de le supprimer.

Rien ne pressait, selon le Tétrarque.
Iaokanann dangereux! Allons donc! Il
affectait d'en rire.

— « Tais-toi! » Et elle redit son humiliation, un jour qu'elle allait vers Galaad,
pour la récolte du baume. « Des gens, au
bord du fleuve, remettaient leurs habits.
Sur un monticule, à côté, un homme
parlait. Il avait une peau de chameau
autour des reins, et sa tête ressemblait à
celle d'un lion. Dès qu'il m'aperçut, il
cracha sur moi toutes les malédictions des
prophètes. Ses prunelles flamboyaient; sa
voix rugissait; il levait les bras, comme
pour arracher le tonnerre. Impossible de
fuir! les roues de mon char avaient du
sable jusqu'aux essieux; et je m'éloignais
lentement, m'abritant sous mon manteau,
glacée par ces injures qui tombaient
comme une pluie d'orage. »

Iaokanann l'empêchait de vivre. Quand
on l'avait pris et lié avec des cordes, les
soldats devaient le poignarder s'il résistait;
il s'était montré doux. On avait mis des
serpents dans sa prison; ils étaient morts.

L'inanité de ces embûches exaspérait
Hérodias. D'ailleurs, pourquoi sa guerre
contre elle? Quel intérêt le poussait? Ses
discours, criés à des foules, s'étaient
répandus, circulaient; elle les entendait

partout, ils emplissaient l'air. Contre des
légions elle aurait eu de la bravoure. Mais
cette force plus pernicieuse que les glaives,
et qu'on ne pouvait saisir, était stupé-
fiante; et elle parcourait la terrasse, blê-
mie par sa colère, manquant de mots pour
exprimer ce qui l'étouffait.

Elle songeait aussi que le Tétrarque,
cédant à l'opinion, s'aviserait peut-être
de la répudier. Alors tout serait perdu!
Depuis son enfance, elle nourrissait le
rêve d'un grand empire. C'était pour y
atteindre que, délaissant son premier
époux, elle s'était jointe à celui-là, qui
l'avait dupée, pensait-elle.

— « J'ai pris un bon soutien, en entrant
dans ta famille! »

— « Elle vaut la tienne! » dit simplement le Tétrarque.

Hérodias sentit bouillonner dans ses
veines le sang des prêtres et des rois ses
aïeux.

— « Mais ton grand-père balayait le
temple d'Ascalon! Les autres étaient ber-
gers, bandits, conducteurs de caravanes,
une horde, tributaire de Juda depuis le roi
David! Tous mes ancêtres ont battu les
tiens! Le premier des Makkabi vous a
chassés d'Hébron, Hyrcan forcés à vous
circoncire! » Et, exhalant le mépris de la
patricienne pour le plébéien, la haine de
Jacob contre Édom, elle lui reprocha son

indifférence aux outrages, sa mollesse
envers les Pharisiens qui le trahissaient,
sa lâcheté pour le peuple qui la détestait.
« Tu es comme lui, avoue-le ! et tu regrettes
la fille arabe qui danse autour des pierres.
Reprends-la ! Va-t'en vivre avec elle, dans sa
maison de toile ! dévore son pain cuit sous
la cendre ! avale le lait caillé de ses brebis !
baise ses joues bleues ! et oublie-moi ! »

Le Tétrarque n'écoutait plus. Il regardait la plate-forme d'une maison, où il y
avait une jeune fille, et une vieille femme
tenant un parasol à manche de roseau,
long comme la ligne d'un pêcheur. Au
milieu du tapis, un grand panier de
voyage restait ouvert. Des ceintures, des
voiles, des pendeloques d'orfèvrerie en
débordaient confusément. La jeune fille,
par intervalles, se penchait vers ces choses,
et les secouait à l'air. Elle était vêtue,
comme les Romaines, d'une tunique cala-
mistrée avec un péplum à glands d'émeraude ; et des lanières bleues enfermaient
sa chevelure, trop lourde, sans doute, car,
de temps à autre, elle y portait la main.
L'ombre du parasol se promenait au-
dessus d'elle, en la cachant à demi.
Antipas aperçut deux ou trois fois son
col délicat, l'angle d'un œil, le coin d'une
petite bouche. Mais il voyait, des hanches
à la nuque, toute sa taille qui s'inclinait
pour se redresser d'une manière élastique.

Il épiait le retour de ce mouvement, et sa respiration devenait plus forte; des flammes s'allumaient dans ses yeux. Hérodias l'observait.

Il demanda : — « Qui est-ce ? »

Elle répondit n'en rien savoir, et s'en alla soudainement apaisée.

Le Tétrarque était attendu sous les portiques par des Galiléens, le maître des écritures, le chef des pâturages, l'administrateur des salines et un Juif de Babylone, commandant ses cavaliers. Tous le saluèrent d'une acclamation. Puis il disparut vers les chambres intérieures.

Phanuel surgit à l'angle d'un couloir.

— « Ah! encore ? Tu viens pour Iaokanann, sans doute ? »

— « Et pour toi! j'ai à t'apprendre une chose considérable. »

Et, sans quitter Antipas, il pénétra, derrière lui, dans un appartement obscur.

Le jour tombait par un grillage, se développant tout du long sous la corniche. Les murailles étaient peintes d'une couleur grenat, presque noir. Dans le fond s'étalait un lit d'ébène, avec des sangles en peau de bœuf. Un bouclier d'or, au-dessus, luisait comme un soleil.

Antipas traversa toute la salle, se coucha sur le lit.

Phanuel était debout. Il leva son bras, et dans une attitude inspirée :

— « Le Très-Haut envoie par moments un de ses fils. Iaokanann en est un. Si tu l'opprimes, tu seras châtié.

— « C'est lui qui me persécute! » s'écria Antipas. « Il a voulu de moi une action impossible. Depuis ce temps-là il me déchire. Et je n'étais pas dur, au commencement! Il a même dépêché de Machærous des hommes qui bouleversent mes provinces. Malheur à sa vie! Puisqu'il m'attaque, je me défends! »

— « Ses colères ont trop de violence, » répliqua Phanuel. « N'importe! Il faut le délivrer. »

— « On ne relâche pas les bêtes furieuses! » dit le Tétrarque.

L'Essénien répondit :

— « Ne t'inquiète plus! Il ira chez les Arabes, les Gaulois, les Scythes. Son œuvre doit s'étendre jusqu'au bout de la terre! »

Antipas semblait perdu dans une vision.

— « Sa puissance est forte!... Malgré moi, je l'aime! »

— « Alors, qu'il soit libre ? »

Le Tétrarque hocha la tête. Il craignait Hérodias, Mannaëi, et l'inconnu.

Phanuel tâcha de le persuader, en alléguant, pour garantie de ses projets, la soumission des Esséniens aux rois. On respectait ces hommes pauvres, indomp-

tables par les supplices, vêtus de lin, et
qui lisaient l'avenir dans les étoiles.

Antipas se rappela un mot de lui, tout à
l'heure.

— « Quelle est cette chose que tu
m'annonçais comme importante ? »

Un nègre survint. Son corps était blanc
de poussière. Il râlait et ne put que dire :

— « Vitellius ! »

— « Comment ? il arrive ? »

— « Je l'ai vu. Avant trois heures, il
est ici ! »

Les portières des corridors furent agitées
comme par le vent. Une rumeur emplit le
château, un vacarme de gens qui cou-
raient, de meubles qu'on traînait, d'ar-
genteries s'écroulant ; et, du haut des
tours, des buccins sonnaient, pour avertir
les esclaves dispersés.

II

Les remparts étaient couverts de monde
quand Vitellius entra dans la cour. Il
s'appuyait sur le bras de son interprète,
suivi d'une grande litière rouge ornée de
panaches et de miroirs, ayant la toge, le
laticlave, les brodequins d'un consul et
des licteurs autour de sa personne.

Ils plantèrent contre la porte leurs douze faisceaux, des baguettes reliées par une courroie avec une hache dans le milieu. Alors, tous frémirent devant la majesté du peuple romain.

La litière, que huit hommes manœuvraient, s'arrêta. Il en sortit un adolescent, le ventre gros, la face bourgeonnée, des perles le long des doigts. On lui offrit une coupe pleine de vin et d'aromates. Il la but, et en réclama une seconde.

Le Tétrarque était tombé aux genoux du Proconsul, chagrin, disait-il, de n'avoir pas connu plus tôt la faveur de sa présence. Autrement, il eût ordonné sur les routes tout ce qu'il fallait pour les Vitellius. Ils descendaient de la déesse Vitellia. Une voie, menant du Janicule à la mer, portait encore leur nom. Les questures, les consulats étaient innombrables dans la famille; et quant à Lucius, maintenant son hôte, on devait le remercier comme vainqueur des Clites et père de ce jeune Aulus, qui semblait revenir dans son domaine, puisque l'Orient était la patrie des dieux. Ces hyperboles furent exprimées en latin. Vitellius les accepta impassiblement.

Il répondit que le grand Hérode suffisait à la gloire d'une nation. Les Athéniens lui avaient donné la surintendance des jeux Olympiques. Il avait bâti des temples en l'honneur d'Auguste, été patient, ingénieux, terrible, et fidèle toujours aux Césars.

Entre les colonnes à chapiteaux d'airain, on aperçut Hérodias qui s'avançait d'un air d'impératrice, au milieu de femmes et d'eunuques tenant sur des plateaux de vermeil des parfums allumés.

Le Proconsul fit trois pas à sa rencontre; et, l'ayant saluée d'une inclinaison de tête :

— « Quel bonheur! » s'écria-t-elle, « que désormais Agrippa, l'ennemi de Tibère, fût dans l'impossibilité de nuire! »

Il ignorait l'événement, elle lui parut dangereuse; et comme Antipas jurait qu'il ferait tout pour l'Empereur, Vitellius ajouta : — « Même au détriment des autres ? »

Il avait tiré des otages du roi des Parthes, et l'Empereur n'y songeait plus; car Antipas, présent à la conférence, pour se faire valoir, en avait tout de suite expédié la nouvelle. De là, une haine profonde, et les retards à fournir des secours.

Le Tétrarque balbutia. Mais Aulus dit en riant :

— « Calme-toi, je te protège! »

Le Proconsul feignit de n'avoir pas entendu. La fortune du père dépendait de la souillure du fils; et cette fleur des fanges de Caprée lui procurait des bénéfices tellement considérables qu'il l'entourait d'égards, tout en se méfiant, parce qu'elle était vénéneuse.

Un tumulte s'éleva sous la porte. On introduisait une file de mules blanches, montées par des personnages en costume de prêtres. C'étaient des Sadducéens et des Pharisiens, que la même ambition poussait à Machærous, les premiers voulant obtenir la sacrificature, et les autres la conserver. Leurs visages étaient sombres, ceux des Pharisiens surtout, ennemis de Rome et du Tétrarque. Les pans de leur tunique les embarrassaient dans la cohue; et leur tiare chancelait à leur front par-dessus des bandelettes de parchemin, où des écritures étaient tracées.

Presque en même temps, arrivèrent des soldats de l'avant-garde. Ils avaient mis leurs boucliers dans des sacs, par précaution contre la poussière; et derrière eux était Marcellus, lieutenant du Proconsul, avec des publicains, serrant sous leurs aisselles des tablettes de bois.

Antipas nomma les principaux de son entourage : Tolmaï, Kanthera, Séhon, Ammonius d'Alexandrie, qui lui achetait de l'asphalte, Naâmann, capitaine de ses vélites, Iaçim le Babylonien.

Vitellius avait remarqué Mannaëi.

— « Celui-là, qu'est-ce donc ? »

Le Tétrarque fit comprendre, d'un geste, que c'était le bourreau.

Puis il présenta les Sadducéens.

Jonathas, un petit homme libre d'allures et parlant grec, supplia le maître de les honorer d'une visite à Jérusalem. Il s'y rendrait probablement.

Éléazar, le nez crochu et la barbe longue, réclama pour les Pharisiens le manteau du grand prêtre détenu dans la tour Antonia par l'autorité civile.

Ensuite, les Galiléens dénoncèrent Ponce Pilate. A l'occasion d'un fou qui cherchait les vases d'or de David dans une caverne, près de Samarie, il avait tué des habitants; et tous parlaient à la fois, Mannaëi plus violemment que les autres. Vitellius affirma que les criminels seraient punis.

Des vociférations éclatèrent en face d'un portique, où les soldats avaient suspendu leurs boucliers. Les housses étant défaites, on voyait sur les *umbo* la figure de César. C'était pour les Juifs une idolâtrie. Antipas les harangua, pendant que Vitellius, dans la colonnade, sur un siège élevé, s'étonnait de leur fureur. Tibère avait eu raison d'en exiler quatre cents en Sardaigne. Mais chez eux ils étaient forts; et il commanda de retirer les boucliers.

Alors, ils entourèrent le Proconsul, en implorant des réparations d'injustice, des

privilèges, des aumônes. Les vêtements
étaient déchirés, on s'écrasait; et, pour
faire de la place, des esclaves avec des
bâtons frappaient de droite et de gauche.
Les plus voisins de la porte descendirent
sur le sentier, d'autres le montaient; ils
refluèrent; deux courants se croisaient
dans cette masse d'hommes qui oscillait,
comprimée par l'enceinte des murs.

Vitellius demanda pourquoi tant de
monde. Antipas en dit la cause : le festin
de son anniversaire; et il montra plusieurs de ses gens qui, penchés sur les
créneaux, halaient d'immenses corbeilles
de viandes, de fruits, de légumes, des anti-
lopes et des cigognes, de larges poissons
couleur d'azur, des raisins, des pastèques,
des grenades élevées en pyramides. Aulus
n'y tint pas. Il se précipita vers les cuisines,
emporté par cette goinfrerie qui devait surprendre l'univers.

En passant près d'un caveau, il aperçut
des marmites pareilles à des cuirasses.
Vitellius vint les regarder; et exigea qu'on
lui ouvrît les chambres souterraines de la
forteresse.

Elles étaient taillées dans le roc en
hautes voûtes, avec des piliers de distance
en distance. La première contenait de
vieilles armures; mais la seconde regorgeait
de piques, et qui allongeaient toutes leurs
pointes, émergeant d'un bouquet de plu-

mes. La troisième semblait tapissée en nattes de roseaux, tant les flèches minces étaient perpendiculairement les unes à côté des autres. Des lames de cimeterres couvraient les parois de la quatrième. Au milieu de la cinquième, des rangs de casques faisaient, avec leurs crêtes, comme un bataillon de serpents rouges. On ne voyait dans la sixième que des carquois; dans la septième, que des cnémides; dans la huitième, que des brassards; dans les suivantes, des fourches, des grappins, des échelles, des cordages, jusqu'à des mâts pour les catapultes, jusqu'à des grelots pour le poitrail des dromadaires! et comme la montagne allait en s'élargissant vers sa base, évidée à l'intérieur telle qu'une ruche d'abeilles, au-dessous de ces chambres il y en avait de plus nombreuses, et d'encore plus profondes.

Vitellius, Phinées son interprète, et Sisenna le chef des publicains, les parcouraient à la lumière des flambeaux, que portaient trois eunuques.

On distinguait dans l'ombre des choses hideuses inventées par les barbares : casse-tête garnis de clous, javelots empoisonnant les blessures, tenailles qui ressemblaient à des mâchoires de crocodiles; enfin le Tétrarque possédait dans Machærous des munitions de guerre pour quarante mille hommes.

Il les avait rassemblées en prévision
d'une alliance de ses ennemis. Mais le
Proconsul pouvait croire, ou dire, que
c'était pour combattre les Romains, et il
cherchait des explications.

Elles n'étaient pas à lui; beaucoup servaient à se défendre des brigands; d'ailleurs il en fallait contre les Arabes; ou
bien, tout cela avait appartenu à son père.
Et, au lieu de marcher derrière le Proconsul, il allait devant, à pas rapides. Puis il
se rangea le long du mur, qu'il masquait
de sa toge, avec ses deux coudes écartés;
mais le haut d'une porte dépassait sa tête.
Vitellius la remarqua, et voulut savoir ce
qu'elle enfermait.

Le Babylonien pouvait seul l'ouvrir.

— « Appelle le Babylonien! »

On l'attendit.

Son père était venu des bords de l'Eu-
phrate s'offrir au grand Hérode, avec
cinq cents cavaliers, pour défendre les
frontières orientales. Après le partage du
royaume, Iaçim était demeuré chez Philippe, et maintenant servait Antipas.

Il se présenta, un arc sur l'épaule, un
fouet à la main. Des cordons multicolores
serraient étroitement ses jambes torses.
Ses gros bras sortaient d'une tunique sans
manches, et un bonnet de fourrure ombra-
geait sa mine, dont la barbe était frisée en
anneaux.

D'abord, il eut l'air de ne pas comprendre l'interprète. Mais Vitellius lança un coup d'œil à Antipas, qui répéta tout de suite son commandement. Alors Iaçim appliqua ses deux mains contre la porte. Elle glissa dans le mur.

Un souffle d'air chaud s'exhala des ténèbres. Une allée descendait en tournant; ils la prirent et arrivèrent au seuil d'une grotte, plus étendue que les autres souterrains.

Une arcade s'ouvrait au fond sur le précipice, qui de ce côté-là défendait la citadelle. Un chèvrefeuille, se cramponnant à la voûte, laissait retomber ses fleurs en pleine lumière. A ras du sol, un filet d'eau murmurait.

Des chevaux blancs étaient là, une centaine peut-être, et qui mangeaient de l'orge sur une planche au niveau de leur bouche. Ils avaient tous la crinière peinte en bleu, les sabots dans des mitaines de sparterie, et les poils d'entre les oreilles bouffant sur le frontal, comme une perruque. Avec leur queue très longue, ils se battaient mollement les jarrets. Le Proconsul en resta muet d'admiration.

C'étaient de merveilleuses bêtes, souples comme des serpents, légères comme des oiseaux. Elles partaient avec la flèche du cavalier, renversaient les hommes en les mordant au ventre, se tiraient de l'embarras des rochers, sautaient par-dessus des abîmes, et pendant tout un jour continuaient dans les plaines leur galop frénétique; un mot les arrêtait. Dès que Iaçim entra, elles vinrent à lui, comme des moutons quand paraît le berger; et, avançant leur encolure, elles le regardaient inquiètes avec leurs yeux d'enfant. Par habitude, il lança du fond de sa gorge un cri rauque qui les mit en gaieté; et elles se cabraient, affamées d'espace, demandant à courir.

Antipas, de peur que Vitellius ne les enlevât, les avait emprisonnées dans cet endroit, spécial pour les animaux, en cas de siège.

— « L'écurie est mauvaise », dit le Proconsul, « et tu risques de les perdre! Fais l'inventaire, Sisenna! »

Le publicain retira une tablette de sa ceinture, compta les chevaux et les inscrivit.

Les agents des compagnies fiscales corrompaient les gouverneurs, pour piller les provinces. Celui-là flairait partout, avec sa mâchoire de fouine et ses paupières clignotantes.

Enfin, on remonta dans la cour.

Des rondelles de bronze au milieu des pavés, çà et là, couvraient les citernes. Il en observa une, plus grande que les autres, et qui n'avait pas sous les talons

leur sonorité. Il les frappa toutes alternativement, puis hurla, en piétinant :

— « Je l'ai! je l'ai! C'est ici le trésor
d'Hérode! »

La recherche de ses trésors était une
folie des Romains.

Ils n'existaient pas, jura le Tétrarque.
Cependant, qu'y avait-il là-dessous?

— « Rien! un homme, un prisonnier.

— « Montre-le! » dit Vitellius.

Le Tétrarque n'obéit pas; les Juifs
auraient connu son secret. Sa répugnance
à ouvrir la rondelle impatientait Vitellius.

— « Enfoncez-la! » cria-t-il aux licteurs.

Mannaëi avait deviné ce qui les occupait. Il crut, en voyant une hache, qu'on
allait décapiter Iaokanann; et il arrêta le
licteur au premier coup sur la plaque,
insinua entre elle et les pavés une manière
de crochet, puis, roidissant ses longs bras
maigres, la souleva doucement, elle s'abattit; tous admirèrent la force de ce vieillard. Sous le couvercle doublé de bois,
s'étendait une trappe de même dimension.
D'un coup de poing, elle se replia en deux
panneaux; on vit alors un trou, une fosse
énorme que contournait un escalier sans
rampe; et ceux qui se penchèrent sur le
bord aperçurent au fond quelque chose de
vague et d'effrayant.

Un être humain était couché par terre,
sous de longs cheveux se confondant avec

les poils de bête qui garnissaient son dos.
Il se leva. Son front touchait à une grille
horizontalement scellée; et, de temps à
autre, il disparaissait dans les profondeurs
de son antre.

Le soleil faisait briller la pointe des
tiares, le pommeau des glaives, chauffait
à outrance les dalles; et des colombes,
s'envolant des frises, tournoyaient au-
dessus de la cour. C'était l'heure où Mannaëi, ordinairement, leur jetait du grain.
Il se tenait accroupi devant le Tétrarque,
qui était debout près de Vitellius. Les
Galiléens, les prêtres, les soldats, formaient un cercle par-derrière; tous se tai-
saient, dans l'angoisse de ce qui allait
arriver.

Ce fut d'abord un grand soupir, poussé
d'une voix caverneuse.

Hérodias l'entendit à l'autre bout du
palais. Vaincue par une fascination, elle
traversa la foule; et elle écoutait, une
main sur l'épaule de Mannaëi, le corps
incliné.

La voix s'éleva :

— « Malheur à vous, Pharisiens et
Sadducéens, race de vipères, outres gon-
flées, cymbales retentissantes! »

On avait reconnu Ioakanann. Son nom
circulait. D'autres accoururent.

« Malheur à toi, ô peuple! et aux traî-
tres de Juda, aux ivrognes d'Éphraïm, à

ceux qui habitent la vallée grasse, et que
les vapeurs du vin font chanceler!

« Qu'ils se dissipent comme l'eau qui
s'écoule, comme la limace qui se fond en
marchant, comme l'avorton d'une femme
qui ne voit pas le soleil.

« Il faudra, Moab, te réfugier dans les
cyprès comme les passereaux, dans les
cavernes comme les gerboises. Les portes
des forteresses seront plus vite brisées que
des écailles de noix, les murs crouleront,
les villes brûleront; et le fléau de l'Éternel
ne s'arrêtera pas. Il retournera vos
membres dans votre sang, comme de la
laine dans la cuve d'un teinturier. Il vous
déchirera comme une herse neuve; il
répandra sur les montagnes tous les mor-
ceaux de votre chair. »

De quel conquérant parlait-il ? Était-ce
de Vitellius ? Les Romains seuls pouvaient
produire cette extermination. Des plaintes
s'échappaient : — « Assez! assez! qu'il
finisse! »

Il continua, plus haut :

— « Auprès du cadavre de leurs mères,
les petits enfants se traîneront sur les
cendres. On ira, la nuit, chercher son pain
à travers les décombres, au hasard des
épées. Les chacals s'arracheront les ossements sur les places publiques, où le soir
les vieillards causaient. Tes vierges, en
avalant leurs pleurs, joueront de la cithare

dans les festins de l'étranger, et tes fils les
plus braves baisseront leur échine, écor-
chée par des fardeaux trop lourds! »

Le peuple revoyait les jours de son exil,
toutes les catastrophes de son histoire.
C'étaient les paroles des anciens prophètes. Iaokanann les envoyait, comme
de grands coups, l'une après l'autre.

Mais la voix se fit douce, harmonieuse,
chantante. Il annonçait un affranchisse-
ment, des splendeurs au ciel, le nouveau-
né un bras dans la caverne du dragon, l'or
à la place de l'argile, le désert s'épanouis-
sant comme une rose : — « Ce qui maintenant vaut soixante kiccars ne coûtera
pas une obole. Des fontaines de lait jail-
liront des rochers; on s'endormira dans
les pressoirs le ventre plein! Quand vien-
dras-tu, toi que j'espère ? D'avance, tous
les peuples s'agenouillent, et ta domination sera éternelle, Fils de David! »

Le Tétrarque se rejeta en arrière, l'existence d'un Fils de David l'outrageant
comme une menace.

Iaokanann l'invectiva pour sa royauté.
— « Il n'y a pas d'autre roi que l'Éternel!»
et pour ses jardins, pour ses statues,
pour ses meubles d'ivoire, comme l'impie
Achab!

Antipas brisa la cordelette du cachet
suspendu à sa poitrine, et le lança dans la
fosse, en lui commandant de se taire.

La voix répondit,

— « Je crierai comme un ours, comme un âne sauvage, comme une femme qui enfante!

« Le châtiment est déjà dans ton inceste. Dieu t'afflige de la stérilité du mulet! »

Et des rires s'élevèrent, pareils au clapotement des flots.

Vitellius s'obstinait à rester. L'interprète, d'un ton impassible, redisait, dans la langue des Romains, toutes les injures que Iaokanann rugissait dans la sienne. Le Tétrarque et Hérodias étaient forcés de les subir deux fois. Il haletait, pendant qu'elle observait béante le fond du puits.

L'homme effroyable se renversa la tête; et, empoignant les barreaux, y colla son visage qui avait l'air d'une broussaille, où étincelaient deux charbons :

— « Ah! c'est toi, Iézabel!

« Tu as pris son cœur avec le craquement de ta chaussure. Tu hennissais comme une cavale. Tu as dressé ta couche sur les monts, pour accomplir tes sacrifices!

« Le Seigneur arrachera tes pendants d'oreilles, tes robes de pourpre, tes voiles de lin, les anneaux de tes bras, les bagues de tes pieds, et les petits croissants d'or qui tremblent sur ton front, tes miroirs d'argent, tes éventails en plumes d'autruche, les patins de nacre qui haussent

ta taille, l'orgueil de tes diamants, les
senteurs de tes cheveux, la peinture de tes
ongles, tous les artifices de ta mollesse; et
les cailloux manqueront pour lapider
l'adultère! »

Elle chercha du regard une défense
autour d'elle. Les Pharisiens baissaient
hypocritement leurs yeux. Les Sadducéens
tournaient la tête, craignant d'offenser le
Proconsul. Antipas paraissait mourir.

La voix grossissait, se développait,
roulait avec des déchirements de tonnerre,
et, l'écho dans la montagne la répétant,
elle foudroyait Machærous d'éclats mul-
tipliés.

— « Étale-toi dans la poussière, fille de
Babylone! Fais moudre la farine! Ote ta
ceinture, détache ton soulier, trousse-toi,
passe les fleuves! ta honte sera découverte,
ton opprobre sera vu! tes sanglots te brise-
ront les dents! L'Éternel exècre la puan-
teur de tes crimes! Maudite! maudite!
Crève comme une chienne! »

La trappe se ferma, le couvercle se
rabattit. Mannaëi voulait étrangler Iaokanann.

Hérodias disparut. Les Pharisiens
étaient scandalisés. Antipas, au milieu
d'eux, se justifiait.

— « Sans doute », reprit Éléazar, « il
faut épouser la femme de son frère, mais
Hérodias n'était pas veuve, et de plus elle

avait un enfant, ce qui constituait l'abomination. »

— « Erreur! erreur! » objecta le Sadducéen Jonathas. « La loi condamne ces mariages, sans les proscrire absolument. »

— « N'importe! On est pour moi bien injuste! » disait Antipas, « car, enfin, Absalon a couché avec les femmes de son père, Juda avec sa bru, Ammon avec sa sœur, Lot avec ses filles. »

Aulus, qui venait de dormir, reparut à ce moment-là. Quand il fut instruit de l'affaire, il approuva le Tétrarque. On ne devait point se gêner pour de pareilles sottises; et il riait beaucoup du blâme des prêtres, et de la fureur de Iaokanann.

Hérodias, au milieu du perron, se retourna vers lui.

— « Tu as tort, mon maître! Il ordonne au peuple de refuser l'impôt. »

— « Est-ce vrai? » demanda tout de suite le Publicain.

Les réponses furent généralement affirmatives. Le Tétrarque les renforçait.

Vitellius songea que le prisonnier pouvait s'enfuir; et comme la conduite d'Antipas lui semblait douteuse, il établit des sentinelles aux portes, le long des murs et dans la cour.

Ensuite, il alla vers son appartement. Les députations des prêtres l'accompagnèrent.

Sans aborder la question de la sacrificature, chacune émettait ses griefs.

Tous l'obsédaient. Il les congédia.

Jonathas le quittait, quand il aperçut,
dans un créneau, Antipas causant avec
un homme à longs cheveux et en robe
blanche, un Essénien; et il regretta de
l'avoir soutenu.

Une réflexion avait consolé le Tétrarque. Iaokanann ne dépendait plus de lui;
les Romains s'en chargeaient. Quel soulagement! Phanuel se promenait alors sur
le chemin de ronde.

Il l'appela et, désignant les soldats :

— « Ils sont les plus forts! je ne peux
le délivrer! ce n'est pas ma faute! »

La cour était vide. Les esclaves se reposaient. Sur la rougeur du ciel, qui enflam-
mait l'horizon, les moindres objets per-
pendiculaires se détachaient en noir. Antipas distingua les salines à l'autre bout de
la mer Morte, et ne voyait plus les tentes
des Arabes. Sans doute ils étaient partis ?
La lune se levait; un apaisement descendait dans son cœur.

Phanuel, accablé, restait le menton sur
la poitrine. Enfin, il révéla ce qu'il avait
à dire.

Depuis le commencement du mois, il
étudiait le ciel avant l'aube, la constellation de Persée se trouvant au zénith.
Agalah se montrait à peine, Algol bril-

lait moins, Mira-Cœti avait disparu ; d'où
il augurait la mort d'un homme considérable, cette nuit même, dans Machærous.

Lequel ? Vitellius était trop bien
entouré. On n'exécuterait pas Iaokanann.
« C'est donc moi ! » pensa le Tétrarque.

Peut-être que les Arabes allaient revenir ? Le Proconsul découvrirait ses relations avec les Parthes ! Des sicaires de
Jérusalem escortaient les prêtres ; ils
avaient sous leurs vêtements des poi-
gnards ; et le Tétrarque ne doutait pas de
la science de Phanuel.

Il eut l'idée de recourir à Hérodias. Il
la haïssait pourtant. Mais elle lui don-
nerait du courage ; et tous les liens
n'étaient pas rompus de l'ensorcellement
qu'il avait autrefois subi.

Quand il entra dans sa chambre, du
cinnamome fumait sur une vasque de
porphyre ; et des poudres, des onguents,
des étoffes pareilles à des nuages, des
broderies plus légères que des plumes,
étaient dispersées.

Il ne dit pas la prédiction de Phanuel, ni
sa peur des Juifs et des Arabes ; elle l'eût
accusé d'être lâche. Il parla seulement des
Romains ; Vitellius ne lui avait rien confié
de ses projets militaires. Il le supposait
ami de Caïus, que fréquentait Agrippa ; et
il serait envoyé en exil, ou peut-être on
l'égorgerait.

Hérodias, avec une indulgence dédai-
gneuse, tâcha de le rassurer. Enfin, elle
tira d'un petit coffre une médaille bizarre,
ornée du profil de Tibère. Cela suffisait à
faire pâlir les licteurs et fondre les accu-
sations.

Antipas, ému de reconnaissance, lui
demanda comment elle l'avait.

— « On me l'a donnée, » reprit-elle.

Sous une portière en face, un bras nu
s'avança, un bras jeune, charmant et
comme tourné dans l'ivoire par Polyclète.
D'une façon un peu gauche, et cependant
gracieuse, il ramait dans l'air, pour saisir
une tunique oubliée sur une escabelle près
de la muraille.

Une vieille femme la passa doucement,
en écartant le rideau.

Le Tétrarque eut un souvenir, qu'il
ne pouvait préciser.

— « Cette esclave est-elle à toi ? »

— « Que t'importe ? » répondit Hérodias.

III

Les convives emplissaient la salle du
festin.

Elle avait trois nefs, comme une basi-
lique, et que séparaient des colonnes en

bois d'algumim, avec des chapiteaux de
bronze couverts de sculptures. Deux gale-
ries à claire-voie s'appuyaient dessus; et
une troisième en filigrane d'or se bombait
au fond, vis-à-vis d'un cintre énorme, qui
s'ouvrait à l'autre bout.

Des candélabres, brûlant sur les tables
alignées dans toute la longueur du vais-
seau, faisaient des buissons de feux, entre
les coupes de terre peinte et les plats de
cuivre, les cubes de neige, les monceaux
de raisin; mais ces clartés rouges se per-
daient progressivement, à cause de la
hauteur du plafond, et des points lumineux brillaient, comme des étoiles, la nuit,
à travers des branches. Par l'ouverture de
la grande baie, on apercevait des flambeaux sur les terrasses des maisons; car
Antipas fêtait ses amis, son peuple, et
tous ceux qui s'étaient présentés.

Des esclaves, alertes comme des chiens
et les orteils dans des sandales de feutre,
circulaient, en portant des plateaux.

La table proconsulaire occupait, sous
la tribune dorée, une estrade en planches
de sycomore. Des tapis de Babylone l'enfermaient dans une espèce de pavillon.

Trois lits d'ivoire, un en face et deux sur
les flancs, contenaient Vitellius, son fils et
Antipas; le Proconsul étant près de la
porte, à gauche, Aulus à droite, le Tétrarque au milieu.

Il avait un lourd manteau noir, dont la trame disparaissait sous des applications de couleur, du fard aux pommettes, la barbe en éventail, et de la poudre d'azur dans ses cheveux, serrés par un diadème de pierreries. Vitellius gardait son baudrier de pourpre, qui descendait en diagonale sur une toge de lin. Aulus s'était fait nouer dans le dos les manches de sa robe en soie violette, lamée d'argent. Les boudins de sa chevelure formaient des étages, et un collier de saphirs étincelait à sa poitrine, grasse et blanche comme celle d'une femme. Près de lui, sur une natte et jambes croisées, se tenait un enfant très beau, qui souriait toujours. Il l'avait vu dans les cuisines, ne pouvait plus s'en passer, et, ayant peine à retenir son nom chaldéen, l'appelait simplement : « l'Asiatique ». De temps à autre, il s'étalait sur le triclinium. Alors, ses pieds nus dominaient l'assemblée.

De ce côté-là, il y avait les prêtres et les officiers d'Antipas, des habitants de Jérusalem, les principaux des villes grecques; et, sous le Proconsul : Marcellus avec les publicains, des amis du Tétrarque, les personnages de Kana, Ptolémaïde, Jéricho; puis, pêle-mêle, des montagnards du Liban, et les vieux soldats d'Hérode : douze Thraces, un Gaulois, deux Germains, des chasseurs de gazelles, des

pâtres de l'Idumée, le sultan de Palmyre,
des marins d'Éziongaber. Chacun avait
devant soi une galette de pâte molle, pour
s'essuyer les doigts; et les bras, s'allon-
geant comme des cous de vautour, pre-
naient des olives, des pistaches, des
amandes. Toutes les figures étaient
joyeuses, sous des couronnes de fleurs.

Les Pharisiens les avaient repoussées
comme indécence romaine. Ils frisson-
nèrent quand on les aspergea de galba-
num et d'encens, composition réservée
aux usages du Temple.

Aulus en frotta son aisselle; et Antipas
lui en promit tout un chargement, avec trois
couffes de ce véritable baume, qui avait
fait convoiter la Palestine à Cléopâtre.

Un capitaine de sa garnison de Tibé-
riade, survenu tout à l'heure, s'était placé
derrière lui, pour l'entretenir d'événements extraordinaires. Mais son attention
était partagée entre le Proconsul et ce
qu'on disait aux tables voisines.

On y causait de Iaokanann et des gens
de son espèce; Simon de Gittoï lavait les
péchés avec du feu. Un certain Jésus...

— « Le pire de tous », s'écria Éléazar.
« Quel infâme bateleur! »

Derrière le Tétrarque, un homme se
leva, pâle comme la bordure de sa chla-
myde. Il descendit l'estrade, et, interpel-
lant les Pharisiens :

— « Mensonge! Jésus fait des miracles! »

Antipas désirait en voir.

— « Tu aurais dû l'amener! Renseigne-nous! »

Alors il conta que lui, Jacob, ayant une fille malade, s'était rendu à Capharnaüm, pour supplier le Maître de vouloir la guérir. Le Maître avait répondu : « Retourne chez toi, elle est guérie! » Et il l'avait trouvée sur le seuil, étant sortie de sa couche quand le gnomon du palais marquait la troisième heure, l'instant même où il abordait Jésus.

Certainement, objectèrent les Pharisiens, il existait des pratiques, des herbes puissantes! Ici même, à Machaerous, quelquefois on trouvait le baaras qui rend invulnérable; mais guérir sans voir ni toucher était une chose impossible, à moins que Jésus n'employât les démons.

Et les amis d'Antipas, les principaux de la Galilée, reprirent, en hochant la tête :

— « Les démons, évidemment. »

Jacob, debout entre leur table et celle des prêtres, se taisait d'une manière hautaine et douce.

Ils le sommaient de parler : — « Justifie son pouvoir! »

Il courba les épaules, et à voix basse, lentement, comme effrayé de lui-même :

— « Vous ne savez donc pas que c'est le Messie ? »

Tous les prêtres se regardèrent; et Vitellius demanda l'explication du mot. Son interprète fut une minute avant de répondre.

Ils appelaient ainsi un libérateur qui leur apporterait la jouissance de tous les biens et la domination de tous les peuples. Quelques-uns même soutenaient qu'il fallait compter sur deux. Le premier serait vaincu par Gog et Magog, des démons du Nord; mais l'autre exterminerait le Prince du Mal; et, depuis des siècles, ils l'attendaient à chaque minute.

Les prêtres s'étant concertés, Éléazar prit la parole.

D'abord le Messie serait enfant de David, et non d'un charpentier; il confirmerait la Loi. Ce Nazaréen l'attaquait; et, argument plus fort, il devait être précédé de la venue d'Élie.

Jacob répliqua :

« Mais il est venu, Élie! »

— « Élie! Élie! » répéta la foule, jusqu'à l'autre bout de la salle.

Tous, par l'imagination, apercevaient un vieillard sous un vol de corbeaux, la foudre allumant un autel, des pontifes idolâtres jetés aux torrents; et les femmes, dans les tribunes, songeaient à la veuve de Sarepta.

Jacob s'épuisait à redire qu'il le connaissait! Il l'avait vu! et le peuple aussi!

— « Son nom ? »

Alors il cria, de toutes ses forces :

— « Iaokanann! »

Antipas se renversa comme frappé en pleine poitrine. Les Sadducéens avaient bondi sur Jacob. Éléazar pérorait, pour se faire écouter.

Quand le silence fut établi, il drapa son manteau, et comme un juge posa des questions.

— « Puisque le prophète est mort... »

Des murmures l'interrompirent. On croyait Élie disparu seulement.

Il s'emporta contre la foule, et, continuant son enquête :

— « Tu penses qu'il est ressuscité ?

— « Pourquoi pas ? » dit Jacob.

Les Sadducéens haussèrent les épaules; Jonathas, écarquillant ses petits yeux, s'efforçait de rire comme un bouffon. Rien de plus sot que la prétention du corps à la vie éternelle; et il déclama, pour le Proconsul, ce vers d'un poète contemporain :

Nec crescit, nec post mortem durare videtur.

Mais Aulus était penché au bord du triclinium, le front en sueur, le visage vert, les poings sur l'estomac.

Les Sadducéens feignirent un grand émoi; — le lendemain, la sacrificature leur fut rendue; — Antipas étalait du désespoir; Vitellius demeurait impassible. Ses angoisses étaient pourtant violentes; avec son fils il perdait sa fortune.

Aulus n'avait pas fini de se faire vomir, qu'il voulut remanger.

— « Qu'on me donne de la râpure de marbre, du schiste de Naxos, de l'eau de mer, n'importe quoi! Si je prenais un bain ? »

Il croqua de la neige, puis, ayant balancé entre une terrine de Commagène et des merles roses, se décida pour des courges au miel. L'Asiatique le contemplait, cette faculté d'engloutissement dénotant un être prodigieux et d'une race supérieure.

On servit des rognons de taureau, des loirs, des rossignols, des hachis dans des feuilles de pampre; et les prêtres discutaient sur la résurrection. Ammonius, élève de Philon le Platonicien, les jugeait stupides, et le disait à des Grecs qui se moquaient des oracles. Marcellus et Jacob s'étaient joints. Le premier narrait au second le bonheur qu'il avait ressenti sous le baptême de Mithra, et Jacob l'engageait à suivre Jésus. Les vins de palme et de tamaris, ceux de Safet et de Byblos, coulaient des amphores dans les cratères,

des cratères dans les coupes, des coupes
dans les gosiers; on bavardait, les cœurs
s'épanchaient. Iaçim, bien que Juif, ne
cachait plus son adoration des planètes.
Un marchand d'Aphaka ébahissait des
nomades, en détaillant les merveilles du
temple d'Hiérapolis; et ils demandaient
combien coûterait le pèlerinage. D'autres
tenaient à leur religion natale. Un Ger-
main presque aveugle chantait un hymne
célébrant ce promontoire de la Scandi-
navie, où les dieux apparaissent avec les
rayons de leurs figures; et des gens de
Sichem ne mangèrent pas de tourterelles,
par déférence pour la colombe Azima.

Plusieurs causaient debout, au milieu
de la salle; et la vapeur des haleines avec
les fumées des candélabres faisait un
brouillard dans l'air. Phanuel passa le
long des murs. Il venait encore d'étudier
le firmament, mais n'avançait pas jusqu'au Tétrarque, redoutant les taches
d'huile qui, pour les Esséniens, étaient
une grande souillure.

Des coups retentirent contre la porte du
château.

On savait maintenant que Iaokanann
s'y trouvait détenu. Des hommes avec
des torches grimpaient le sentier; une
masse noire fourmillait dans le ravin; et
ils hurlaient de temps à autre : — « Iaokanann! Iaokanann! »

— « Il dérange tout! » dit Jonathas.

— « On n'aura plus d'argent, s'il continue! » ajoutèrent les Pharisiens.

Et des récriminations partaient :

— « Protège-nous!

— « Qu'on en finisse!

— « Tu abandonnes la religion!

— « Impie comme les Hérode!

— « Moins que vous! » répliqua Antipas. « C'est mon père qui a édifié votre temple! »

Alors, les Pharisiens, les fils des proscrits, les partisans des Matathias, accusèrent le Tétrarque des crimes de sa famille.

Ils avaient des crânes pointus, la barbe hérissée, des mains faibles et méchantes, ou la face camuse, de gros yeux ronds, l'air de bouledogues. Une douzaine, scribes et valets des prêtres, nourris par le rebut des holocaustes, s'élancèrent jusqu'au bas de l'estrade; et avec des couteaux ils menaçaient Antipas, qui les haranguait, pendant que les Sadducéens le défendaient mollement. Il aperçut Mannaëi, et lui fit signe de s'en aller, Vitellius indiquant par sa contenance que ces choses ne le regardaient pas.

Les Pharisiens, restés sur leur triclinium, se mirent dans une fureur démoniaque. Ils brisèrent les plats devant eux. On leur avait servi le ragoût chéri de

Mécène, de l'âne sauvage, une viande
immonde.

Aulus les railla à propos de la tête
d'âne, qu'ils honoraient, disait-on, et
débita d'autres sarcasmes sur leur anti-
pathie du pourceau. C'était sans doute
parce que cette grosse bête avait tué leur
Bacchus; et ils aimaient trop le vin, puisqu'on avait découvert dans le Temple une
vigne d'or.

Les prêtres ne comprenaient pas ses
paroles. Phinées, Galiléen d'origine,
refusa de les traduire. Alors sa colère fut
démesurée, d'autant plus que l'Asiatique, pris de peur, avait disparu; et le
repas lui déplaisait, les mets étant vul-
gaires, point déguisés suffisamment! Il se
calma, en voyant des queues de brebis
syriennes, qui sont des paquets de graisse.

Le caractère des Juifs semblait hideux
à Vitellius. Leur dieu pouvait bien être
Moloch, dont il avait rencontré des autels
sur la route; et les sacrifices d'enfants
lui revinrent à l'esprit, avec l'histoire de
l'homme qu'ils engraissaient mystérieusement. Son cœur de Latin était soulevé
de dégoût par leur intolérance, leur rage
iconoclaste, leur achoppement de brute.
Le Proconsul voulait partir. Aulus s'y
refusa.

La robe abaissée jusqu'aux hanches, il
gisait derrière un monceau de victuailles,

trop repu pour en prendre, mais s'obsti-
nant à ne point les quitter.

L'exaltation du peuple grandit. Ils
s'abandonnèrent à des projets d'indépen-
dance. On rappelait la gloire d'Israël.
Tous les conquérants avaient été châtiés :
Antigone, Crassus, Varus...

— « Misérables ! » dit le Proconsul ; car
il entendait le syriaque ; son interprète ne
servait qu'à lui donner du loisir pour
répondre.

Antipas, bien vite, tira la médaille de
l'Empereur, et, l'observant avec tremblement, il la présentait du côté de l'image.

Les panneaux de la tribune d'or se
déployèrent tout à coup ; et à la splendeur
des cierges, entre ses esclaves et des festons
d'anémone, Hérodias apparut, — coiffée
d'une mitre assyrienne qu'une menton-
nière attachait à son front ; ses cheveux en
spirales s'épandaient sur un péplos d'écarlate, fendu dans la longueur des manches.
Deux monstres en pierre, pareils à ceux
du trésor des Atrides, se dressant contre
la porte, elle ressemblait à Cybèle accotée
de ses lions ; et du haut de la balustrade
qui dominait Antipas, avec une patère à
la main, elle cria :

— « Longue vie à César ! »

Cet hommage fut répété par Vitellius,
Antipas et les prêtres.

Mais il arriva du fond de la salle un

bourdonnement de surprise et d'admiration. Une jeune fille venait d'entrer.

Sous un voile bleuâtre lui cachant la poitrine et la tête, on distinguait les arcs de ses yeux, les calcédoines de ses oreilles, la blancheur de sa peau. Un carré de soie gorge-de-pigeon, en couvrant les épaules, tenait aux reins par une ceinture d'orfèvrerie. Ses caleçons noirs étaient semés de mandragores, et d'une manière indolente elle faisait claquer de petites pantoufles en duvet de colibri.

Sur le haut de l'estrade, elle retira son voile. C'était Hérodias, comme autrefois dans sa jeunesse. Puis elle se mit à danser.

Ses pieds passaient l'un devant l'autre, au rythme de la flûte et d'une paire de crotales. Ses bras arrondis appelaient quelqu'un, qui s'enfuyait toujours. Elle le poursuivait, plus légère qu'un papillon, comme une Psyché curieuse, comme une âme vagabonde et semblait prête à s'envoler.

Les sons funèbres de la gingras remplacèrent les crotales. L'accablement avait suivi l'espoir. Ses attitudes exprimaient des soupirs, et toute sa personne une telle langueur qu'on ne savait pas si elle pleurait un dieu, ou se mourait dans sa caresse. Les paupières entre-closes, elle se tordait la taille, balançait son ventre avec des ondulations de houle, faisait trembler ses

deux seins, et son visage demeurait immobile, et ses pieds n'arrêtaient pas.

Vitellius la compara à Mnester, le pan-
tomime. Aulus vomissait encore. Le
Tétrarque se perdait dans un rêve, et ne
songeait plus à Hérodias. Il crut la voir
près des Sadducéens. La vision s'éloigna.

Ce n'était pas une vision. Elle avait fait
instruire, loin de Machærous, Salomé sa
fille, que le Tétrarque aimerait; et l'idée
était bonne. Elle en était sûre, maintenant!

Puis ce fut l'emportement de l'amour
qui veut être assouvi. Elle dansa comme
les prêtresses des Indes, comme les
Nubiennes des cataractes, comme les bac-
chantes de Lydie. Elle se renversait de
tous les côtés, pareille à une fleur que la
tempête agite. Les brillants de ses oreilles
sautaient, l'étoffe de son dos chatoyait;
de ses bras, de ses pieds, de ses vêtements
jaillissaient d'invisibles étincelles qui
enflammaient les hommes. Une harpe
chanta; la multitude y répondit par des
acclamations. Sans fléchir ses genoux, en
écartant les jambes, elle se courba si bien
que son menton frôlait le plancher; et les
nomades habitués à l'abstinence, les soldats de Rome experts en débauches, les
avares publicains, les vieux prêtres aigris
par les disputes, tous, dilatant leurs
narines, palpitaient de convoitise.

Ensuite elle tourna autour de la table

d'Antipas, frénétiquement, comme le rhombe des sorcières; et d'une voix que des sanglots de volupté entrecoupaient, il lui disait : — « Viens! viens! » Elle tournait toujours; les tympanons sonnaient à éclater, la foule hurlait. Mais le Tétrarque criait plus fort : « Viens! viens! Tu auras Capharnaüm! la plaine de Tibérias! mes citadelles! la moitié de mon royaume! »

Elle se jeta sur les mains, les talons en l'air, parcourut ainsi l'estrade comme un grand scarabée; et s'arrêta, brusquement.

Sa nuque et ses vertèbres faisaient un angle droit. Les fourreaux de couleur qui enveloppaient ses jambes, lui passant pardessus l'épaule, comme des arcs-en-ciel, accompagnaient sa figure, à une coudée du sol. Ses lèvres étaient peintes, ses sourcils très noirs, ses yeux presque terribles, et des gouttelettes à son front semblaient une vapeur sur du marbre blanc.

Elle ne parlait pas. Ils se regardaient.

Un claquement de doigts se fit dans la tribune. Elle y monta, reparut; et, en zézayant un peu, prononça ces mots, d'un air enfantin :

— « Je veux que tu me donnes dans un plat, la tête... » Elle avait oublié le nom, mais reprit en souriant : « La tête de Iaokanann! »

Le Tétrarque s'affaissa sur lui-même, écrasé.

Il était contraint par sa parole, et le peuple attendait. Mais la mort qu'on lui avait prédite, en s'appliquant à un autre, peut-être détournerait la sienne ? Si Iaokanann était véritablement Élie, il pourrait s'y soustraire; s'il ne l'était pas, le meurtre n'avait plus d'importance.

Mannaeï était à ses côtés, et comprit son intention.

Vitellius le rappela pour lui confier le mot d'ordre des sentinelles gardant la fosse.

Ce fut un soulagement. Dans une minute, tout serait fini!

Cependant, Mannaeï n'était guère prompt en besogne.

Il rentra, mais bouleversé.

Depuis quarante ans il exerçait la fonction de bourreau. C'était lui qui avait noyé Aristobule, étranglé Alexandre, brûlé vif Matathias, décapité Zosime, Pappus, Joseph et Antipater; et il n'osait tuer Iaokanann! Ses dents claquaient, tout son corps tremblait.

Il avait aperçu devant la fosse le Grand Ange des Samaritains, tout couvert d'yeux et brandissant un immense glaive, rouge, et dentelé comme une flamme. Deux soldats amenés en témoignage pouvaient le dire.

Ils n'avaient rien vu, sauf un capitaine juif, qui s'était précipité sur eux, et qui n'existait plus.

La fureur d'Hérodias dégorgea en un torrent d'injures populacières et sanglantes. Elle se cassa les ongles au grillage de la tribune, et les deux lions sculptés semblaient mordre ses épaules et rugir comme elle.

Antipas l'imita, les prêtres, les soldats, les Pharisiens, tous réclamant une vengeance, et les autres, indignés qu'on retardât leur plaisir.

Mannaeï sortit, en se cachant la face.

Les convives trouvèrent le temps encore plus long que la première fois. On s'ennuyait.

Tout à coup, un bruit de pas se répercuta dans les couloirs. Le malaise devenait intolérable.

La tête entra; — et Mannaeï la tenait par les cheveux, au bout de son bras, fier des applaudissements.

Quand il l'eut mise sur un plat, il l'offrit à Salomé.

Elle monta lestement dans la tribune; plusieurs minutes après, la tête fut rapportée par cette vieille femme que le Tétrarque avait distinguée le matin sur la plate-forme d'une maison, et tantôt dans la chambre d'Hérodias.

Il se reculait pour ne pas la voir.

Vitellius y jeta un regard indifférent.

Mannaeï descendit l'estrade, et l'ex-
hiba aux capitaines romains, puis à tous
ceux qui mangeaient de ce côté.

Ils l'examinèrent.

La lame aiguë de l'instrument, glissant
du haut en bas, avait entamé la mâchoire.
Une convulsion tirait les coins de la
bouche. Du sang, caillé déjà, parsemait
la barbe. Les paupières closes étaient
blêmes comme des coquilles; et les candélabres à l'entour envoyaient des rayons.

Elle arriva à la table des prêtres. Un
Pharisien la retourna curieusement; et
Mannaeï, l'ayant remise d'aplomb, la
posa devant Aulus, qui en fut réveillé.
Par l'ouverture de leurs cils, les prunelles
mortes et les prunelles éteintes semblaient
se dire quelque chose.

Ensuite Mannaeï la présenta à Antipas.
Des pleurs coulèrent sur les joues du
Tétrarque.

Les flambeaux s'éteignaient. Les
convives partirent; et il ne resta plus dans
la salle qu'Antipas, les mains contre ses
tempes, et regardant toujours la tête coupée, tandis que Phanuel, debout au milieu
de la grande nef, murmurait des prières,
les bras étendus.

A l'instant où se levait le soleil, deux
hommes, expédiés autrefois par Iaoka-

nann, survinrent, avec la réponse si longtemps espérée.

Ils la confièrent à Phanuel, qui en eut
un ravissement.

Puis il leur montra l'objet lugubre, sur
le plateau, entre les débris du festin. Un
des hommes lui dit :

— « Console-toi! Il est descendu chez
les morts annoncer le Christ! »

L'Essénien comprenait maintenant ces
paroles : « Pour qu'il croisse, il faut que
je diminue. »

Et tous les trois, ayant pris la tête de
Iaokanann, s'en allèrent du côté de la
Galilée.

Comme elle était très lourde, ils la
portaient alternativement.

TABLE DES MATIÈRES

Il existe dans la Collection des Classiques Garnier une édition de Trois Contes. Elle a été établie par M. Édouard Maynial. Elle contient une introduction substantielle, un relevé de variantes, des notes. Elle est enrichie d'illustrations.

FLAMMARION BROCHÉE

GF — TEXTE INTÉGRAL — GF

3862-1971. — IMPRIMERIE-RELIURE MAME
N° d'édition 8223. — 1er trimestre 1965. — PRINTED IN FRANCE.